# geni@l klick

Deutsch für Jugendliche

## Testheft A2

Ulrike Moritz

D1229386

**L**

## Langenscheidt

Berlin · Madrid · München · Warschau · Wien · Zürich

**Von**
Ulrike Moritz

**Redaktion**
Annerose Bergmann

**Grafik und Layout**
Illustrationen: Theo Scherling
Gestaltungskonzept und Layout: Andrea Pfeifer, München
Covergestaltung: Bettina Lindenberg, München

**geni@l** klick Deutsch für Jugendliche

**A2: Materialien**

| | |
|---|---|
| Kursbuch A2 mit 2 Audio-CDs | 47130 |
| Arbeitsbuch A2 mit 2 Audio-CDs | 47131 |
| Arbeitsbuch A2 mit DVD (Audio und Video) | 47132 |
| Lehrerhandbuch A2 mit integriertem Kursbuch | 47133 |
| Digitales Unterrichtspaket A2 | 47134 |
| Testheft A2 mit Audio-CD | 47135 |
| Intensivtrainer A2 | 47138 |
| Glossar Englisch A2 | 47140 |
| Glossar Italienisch A2 | 47143 |
| Glossar Spanisch A2 | 47144 |
| Video-DVD A2 | 47146 |
| Interaktive Tafelbilder A2 | 47148 |

**Symbole im Testheft**

Zu dieser Aufgabe finden Sie einen Hörtext auf der CD.

Aufgabe zum Sprechen, die die Lernenden allein durchführen sollen.

Aufgabe zum Sprechen, die die Lernenden zu zweit durchführen sollen.

Aufgabe zum Sprechen, die die Lernenden in der Gruppe durchführen sollen.

Besuchen Sie uns auch im Internet:
www.langenscheidt.de/genialklick
www.langenscheidt-unterrichtsportal.de

Satz: kaltner verlagsmedien GmbH, Bobingen
Druck und Bindung: Stürtz GmbH, Würzburg

ISBN: 978-3-468-47135-3

# Willkommen im Testheft zu geni@l klick!

## Inhalt

# Einleitung

## Ein Testheft – wozu?

Lernfortschrittstests helfen dem Lehrenden dabei, die Fortschritte und Leistungen der Lernenden zu überprüfen. Gleichzeitig können sie aber auch dem Lernenden aufzeigen, wo er noch Schwächen und Bedarf an Wiederholung und Vertiefung hat. Deshalb werden die Schüler und Schülerinnen in diesem Testheft ausdrücklich dazu aufgefordert, ihre Leistung anhand von drei Smileys ☺ ☺ ☹ selbst zu bewerten, so wie sie es von der jeweils letzten Seite der Arbeitsbuchkapitel her kennen.

## Was finden Sie in diesem Testheft?

Das Testheft enthält zu jedem der 12 Kapitel von geni@l klick A2 einen Lernfortschrittstest, in dem der Lernstoff des jeweiligen Kapitels geprüft wird. Die Kapiteltests enthalten Aufgaben zum Hör- und Leseverstehen, zu Wortschatz und Grammatik sowie Schreibaufgaben.
Auf vielfachen Wunsch von Lehrenden nach mehr Aufgaben, die das Hörverstehen abfragen, gibt es pro Test meist mehr als eine Aufgabe zum Hören.
Ab Seite 30 finden Sie zusätzlich zu jedem schriftlichen Test eine Aufgabe, die die Fertigkeit Sprechen überprüft und trainiert. So können Sie auch die Fortschritte in der mündlichen Kompetenz Ihrer Schüler und Schülerinnen evaluieren.
Viele Aufgaben orientieren sich an den Aufgabenformaten der Prüfung *Fit in Deutsch 2*. Somit können sich die Lernenden durch die Lernfortschrittstests mit den Aufgabentypen der Prüfung vertraut machen. Einen kompletten Modelltest zur Vorbereitung auf die Prüfung finden Sie ab Seite 34. Dazu gibt es auf Seite 54 einen Antwortbogen, mit dem Sie die Prüfungssituation proben können, denn erfahrungsgemäß bedeutet das Lösen der Aufgaben auf einem Extrabogen eine zusätzliche Fehlerquelle. Lösungen und Lösungsvorschläge zum Testteil Sprechen finden Sie ab Seite 41. Auf Seite 46 schließen sich die Transkripte der Hörtexte an.

## Die Bewertung der Kapiteltests

Jeder Test besteht aus 6 bis 7 Aufgaben, die insgesamt mit 30 Punkten bewertet werden. Wird die Aufgabe zum Sprechen hinzugenommen, können die Lernenden insgesamt 36 Punkte erreichen. Bei jeder Aufgabe steht die maximal erreichbare Punktzahl. Das erleichtert Ihnen die Bewertung und schafft auch für die Lernenden Transparenz, was und wie viel von ihnen erwartet wird.
Wir schlagen vor, die Mindestpunktzahl zum Bestehen der Tests bei 50 % anzusetzen; das entspricht 15 Punkten bzw. 18 Punkten bei Mitberücksichtigung der Aufgaben zur Fertigkeit Sprechen.

## Aufgaben zur Fertigkeit Sprechen

Die Durchführung von Tests zur mündlichen Kompetenz erfordert andere Bedingungen als die der übrigen Fertigkeiten. Deshalb finden Sie die Sprechaufgaben in einem Extrateil. So können Sie entscheiden, ob Sie Ihre Lernenden im Anschluss an die übrigen Testaufgaben auch im Sprechen prüfen möchten oder die Aufgaben separat als weiteres Übungsmaterial im Unterricht einsetzen wollen.

# Informationen zum Modelltest

Der Modelltest ab Seite 34 bereitet auf die *Prüfung Fit in Deutsch 2* des Goethe-Instituts vor. Die Prüfung richtet sich an Jugendliche zwischen 10 und 15 Jahren und dokumentiert das Niveau A2 des Gemeinsamen Europäischen Referenzrahmens für Sprachen.

Die Prüfung *Fit in Deutsch 2* besteht aus einer schriftlichen Einzelprüfung mit den Teilen Hören, Lesen und Schreiben, die ca. 90 Minuten dauert (30 Minuten pro Fertigkeit), und einer ca. 15 Minuten dauernden, dreiteiligen mündlichen Paarprüfung.

Die Prüfungskomponenten und ihre Gewichtung:

| Komponente | Punkte | Gesamtpunktzahl | Gewichtung |
|---|---|---|---|
| Hören | Teil 1 – 9 Punkte<br>Teil 2 – 11 Punkte | 20 Punkte | 25 % |
| Lesen | Teil 1 – 6 Punkte<br>Teil 2 – 10 Punkte<br>Teil 3 – 4 Punkte | 20 Punkte | 25 % |
| Schreiben | 8 Punkte | 8 x 2 → 16 Punkte | 20 % |
| Sprechen | Teil 1 – 1 Punkt<br>Teil 2 – 8 Punkte<br>Teil 3 – 3 Punkte | 12 x 2 → 24 Punkte | 30 % |
| Gesamtpunktzahl | | 80 | 100 % |

Bei einer Gesamtpunktzahl von mindestens 50 %, also 40 Punkten, gilt die Prüfung als bestanden. Für die Teile Hören und Lesen bekommen die Schüler pro richtig gelöster Aufgabe einen Punkt. Der Teil Schreiben wird nach den Kriterien „Kommunikative Gestaltung / Inhalt und Umfang" (max. 4 Punkte) und „formale Richtigkeit" (max. 4 Punkte) bewertet. Der Text muss mindestens 50 Wörter haben und alle vier Inhaltspunkte behandeln, sonst gibt es Punktabzug.
Die drei Testteile der mündlichen Prüfung werden nach den Kriterien „Erfüllung der Aufgabenstellung" und „Formale Richtigkeit / Aussprache" bewertet.
Detaillierte Informationen zur Prüfung und Modelltests stellt das Goethe-Institut auf seiner Internetseite zur Verfügung.

Autorin und Verlag wünschen Ihnen und Ihren Lernenden viel Erfolg!

Name _____  Klasse _____  Datum _____

**1** **Du hörst ein Gespräch. Lies die Aufgaben und kreuze an: richtig oder falsch? Du hörst das Gespräch zweimal.**

| | | richtig | falsch |
|---|---|:---:|:---:|
| 1. | Vera und Max haben eine Klassenfahrt nach Berlin gemacht. | ☐ | ☒ |
| 2. | Von der Jugendherberge war es nicht weit zum Reichstag. | ☐ | ☐ |
| 3. | Die Klasse war eine Woche in Berlin. | ☐ | ☐ |
| 4. | Max hat in Berlin auch Souvenirs gekauft. | ☐ | ☐ |
| 5. | Am Abend war die Klasse meistens im Hotel. | ☐ | ☐ |
| 6. | Eine Schülerin war in Berlin krank. | ☐ | ☐ |

1
1
1
1
1
___/5

**2** **Fragen auf der Reise. Finde für jede Frage eine passende Antwort. Es gibt mehr Antworten als Fragen.**

1. _h_ Um wie viel Uhr können wir frühstücken?
2. ____ Gibt es im Hotel auch Internet?
3. ____ Wie komme ich ins Zentrum?
4. ____ Kann man hier auch ein Fahrrad leihen?
5. ____ Wann kann man den Reichstag besuchen?
6. ____ Wo kann ich Briefmarken kaufen?

1
1
1
1
1
___/5

a. *Ja, aber nicht direkt. Du musst einmal umsteigen.*

b. *Jeden Tag von 8 bis 24 Uhr. Informationen gibt es im Internet.*

c. *Natürlich. Neben dem Frühstücksraum steht ein Computer.*

d. *80 Cent. Aber wir haben leider keine Briefmarken.*

e. *Du kannst den Bus oder die U-Bahn nehmen.*

f. *Ja, klar. Ein Rad kostet 12 € pro Tag.*

g. *Zuerst gehst du rechts, dann wieder rechts. Da ist die Post.*

h. *Ab 7 Uhr im Frühstücksraum im zweiten Stock.*

**3** **Ergänze die Anzeige.**

Frühstücksbüfett • Gepäck • Hotelküche • Hotel-Website • Internetzugang • Jugendhotel • kostenlos • mehrsprachig • Informationen • Partyraum • ~~Städtequiz~~

½
½
½+½
½
½
½
½
½+½
___/5

Mach das _____Städtequiz_____ (1) und gewinn eine Reise ins _____ (2) „Am Alex"!

Von 8 bis 10 Uhr gibt es ein _____ (3) – lecker! Oder ihr könnt euer Lieblingsessen in der _____ (4) kochen. Im _____ (5) könnt ihr feiern, Musik hören und tanzen. Natürlich haben wir Computer mit _____ (6) und in allen Zimmern gibt es WLAN. Das ist _____ (7). Du möchtest in die Stadt und dein _____ (8) nicht mitnehmen? Kein Problem: Du kannst es bei uns abgeben. Deutsch, Englisch, Spanisch … wir sind _____ (9). Mehr _____ (10) findest du auf unserer _____ (11):

www. jugendhotelamalex.com

**4** **Geschenke aus Berlin. Was ist für wen? Ergänze.**

Anke: Schau mal, heute habe ich Souvenirs gekauft!

Bea: Cool! Und für wen sind die Geschenke?

Anke: Die Schokolade ist für _meine_ (1) Schwester,

das Ampelmännchen ist für _____ (2) Bruder.

Das Berlin-T-Shirt ist für _____ (3) Mutter.

Bea: Und was ist für _____ (4) Vater?

Anke: Hm, keine Ahnung. Hast du eine Idee?

1

1

1

___/3

**5** **Eine Klassenfahrt. Ergänze die Verben in der Partizipform.**

besuchen • fotografieren • kennenlernen • ~~machen~~ • regnen • schmecken • tanzen • wohnen

Hallo Andrea,

kennst du Hamburg? Wir haben im September eine Klassenfahrt nach Hamburg _gemacht_ (1).

Das ist eine super Stadt! Wir haben dort in einem Hotel im Zentrum _____ (2). Am

Mittwoch haben wir den Hafen _____ (3) und ich habe viel _____ (4).

Du weißt ja, meine Kamera ist ganz neu! Ich habe auch ein Fischbrötchen probiert. Das hat sehr

gut _____ (5). Am Freitag hat es leider viel _____ (6). Da waren wir im

Museum. Wir haben auch eine Klasse aus Dänemark _____ (7). Am Abend haben

wir alle zusammen in der Disco _____ (8). Das war total cool!

Liebe Grüße
Carola

1

1+1

1+1

1

1

___/7

**6** **Sandras Geburtstag. Schreib die Sätze im Perfekt.**

1. Sandra • am Samstag • eine Geburtstagsparty • feiern • .
   _Sandra hat am Samstag eine Geburtstagsparty gefeiert._

2. Sandra und ich • am Freitag • für die Party • einkaufen • .
   _____

1

3. Die Gäste • Sandra • gratulieren • .
   _____

1

4. Dann • Sandra • ihre Geschenke • auspacken • .
   _____

1

5. Am Abend • wir • Spaghetti • kochen • .
   _____

1

6. Wir • viel • lachen • .
   _____

1

___/5

**Meine Bewertung**                    ☺ ☺ ☹

**Punkte**                              _____/30

# 2 Test

Name _____ Klasse _____ Datum _____

**1** Hör die Minidialoge und ordne zu.

| A Jemand nennt einen Grund. | B Jemand macht ein Kompliment. | C Jemand beschreibt eine Person. | D Jemand bietet Hilfe an. |
|---|---|---|---|
| 1 | | | |

5 x 1
___/5

**2** Du hörst eine Information im Radio. Lies die Aufgaben und kreuze an: a, b oder c? Du hörst die Information zweimal.

1. Was ist heute das Thema bei „Radio Hip"?

   ☒ Gute Freunde.    b Hobbys.    c Sport.

2. Wen hat „Radio Hip" gefragt?

   a Mädchen.    b Freunde.    c Jugendliche.

3. Wie müssen gute Freunde sein?

   a Sportlich.    b Zuverlässig.    c Pünktlich.

4. Was machen Jungen und Mädchen gern?

   a Fußball spielen.    b Shoppen.    c Ins Kino gehen.

1
1
1
___/3

**3** Lies Lisas E-Mail. Kreuze an: richtig oder falsch?

Liebe Mara,

wie geht es dir? Du fehlst mir sehr! Jetzt wohnen wir schon zwei Monate in Stuttgart und ich habe immer noch keine Freundinnen gefunden :-( Die Mädchen in der Schule sind sehr nett, aber alle haben schon eine beste Freundin. Aber vielleicht habe ich jetzt Glück! Gestern ist noch ein Mädchen neu in unsere Klasse gekommen. Sie heißt Sabine, sieht sehr sportlich aus und lacht viel! In meiner Klasse ist auch Chris. Er ist sehr nett und alle mögen ihn, denn er ist sehr sympathisch und hat nie Angst. Und er sieht gut aus! :-D Aber er will immer nur mit den anderen Jungen Fußball spielen, das finde ich so langweilig! Ich möchte gern mit ihm sprechen, aber wie? Hast du eine Idee? Nächsten Monat habe ich Geburtstag. Vielleicht kann ich eine Party machen und alle aus der Klasse einladen. Was meinst du? Schreib mir bald!

Viele liebe Grüße
deine Lisa

|  | richtig | falsch |
|---|---|---|
| 1. Lisa wohnt schon lange in Stuttgart. | ☐ | ☒ |
| 2. Lisa möchte eine Freundin finden. | ☐ | ☐ |
| 3. Alle Mädchen in der Klasse sind unsympathisch. | ☐ | ☐ |
| 4. Sabine ist noch nicht lange an der Schule. | ☐ | ☐ |
| 5. Lisa findet Chris sehr mutig. | ☐ | ☐ |
| 6. Lisa möchte Chris kennenlernen. | ☐ | ☐ |
| 7. Lisa lädt Mara zu ihrem Geburtstag ein. | ☐ | ☐ |

1
1
1
1
1
1
___/6

**4** Minidialoge. Ergänze die Personalpronomen im Dativ.

1. ● Hallo Paul, wie geht es _dir_?   ○ Danke, _____ geht es sehr gut!    ½
2. ● Wie steht Pia das Kleid?   ○ Es steht _____ super!    ½
3. ● Kinder, wie schmeckt _____ der Kuchen?   ○ Lecker, er schmeckt _____ fantastisch!    ½ + ½
4. ● Was suchst du? Kann ich _____ helfen?   ○ Ja, ich suche meine Brille!    ½
5. ● Wie finden die Schüler Berlin?   ○ Toll, die Stadt gefällt _____ sehr!    ½
6. ● Gestern hatte mein Bruder Geburtstag.   ○ Oh nein, das habe ich ganz vergessen!
   Alle haben _____ gratuliert.    Warum hast du _____ das nicht gesagt?    ½ + ½

___/4

**5** Marcos Freunde. Schreib Sätze mit *weil*.

1. Marco findet Sara sehr sympathisch, _weil sie immer viel lacht._ _____ (Sara lacht immer viel.)

2. Er mag Julia, _____    1
   (Julia ist mutig und zuverlässig.)

3. Er findet Rudi toll, _____    1
   (Rudi sagt immer die Wahrheit.)

4. Jannis ist sein bester Freund, _____    1
   (Jannis kann gut zuhören.)

___/3

**6** Perfekt mit *haben* oder *sein*? Ergänze das Gespräch.

Rudi: Lara, warum _bist_ (1) du heute nicht in der Schule gewesen?

Lara: Also, gestern waren Mieze und ich im Kino. Wir _____ (2) einen    ½

super Film gesehen. Danach _____ (3) wir nach Hause gegangen,    ½

aber da _____ (4) ich ausgerutscht. Es war eine Bananenschale! Wir _____ (5) dann    ½ + ½

mit dem Taxi nach Hause gefahren.

Rudi: _____ (6) du zum Arzt gegangen?    ½

Lara: Nein, aber mein Bein tut weh und deshalb _____ (7) ich heute zu Hause geblieben.    ½

Was _____ (8) ihr in Mathe gemacht?    ½

Rudi: Mathe war langweilig. Aber in Sport _____ (9) wir Volleyball gespielt. Das war toll!    ½

___/4

**7** Was hat Erik gestern gemacht? Schreib fünf Sätze im Perfekt.

~~zum Fußball gehen~~ • eine Stunde Fußball spielen • wieder nach Hause kommen •
eine Pizza essen • seinen Freund Paul anrufen • eine Stunde fernsehen

1. Zuerst _ist er zum Fußball gegangen._ _____

2. Dann _____    1

3. Um 17 Uhr _____    1

4. Dann _____    1

5. Danach _____    1

6. Am Abend _____    1

___/5

Meine Bewertung    ☺ ☺ ☹
Punkte    _____/30

**Name** _____  **Klasse** _____  **Datum** _____

**1** Hör die Interviews mit Eva, Helmut und Felix. Ergänze die Informationen in der Tabelle. Du hörst die Gespräche zweimal.

½ + ½

5 x ½

3 x ½

___/5

| | Welche Sportart? | Warum? | Wie oft in der Woche? |
|---|---|---|---|
| 1. Eva | – Reiten | – | – |
| 2. Helmut | –<br>– | – | –<br>– |
| 3. Felix | – | –<br>– gut für die Gesundheit | – |

**2** Welches Datum hörst du? Schreib wie im Beispiel.

1+1+1

___/3

1. _7. Mai_____  2. _____  3. _____  4. _____

**3** Lies Karins Eintrag im Forum. Kreuze an: richtig oder falsch?

Liebe alle,  
macht ihr gern Sport?  
Bei uns in der Schule ist Sport ganz wichtig. Die meisten Jungen und Mädchen in meiner Klasse sind sehr sportlich. Auf dem ersten Platz steht bei uns Fußball, aber Radfahren ist auch sehr beliebt. Basketball steht bei uns auf dem dritten Platz. Viele Jugendliche spielen auch Tennis, aber mein Lieblingssport ist Badminton. Das steht nur auf Platz acht. Einmal im Jahr haben wir in der Schule ein Sportfest. Das ist super, da kann man ganz viele Sportarten kennenlernen und ausprobieren. Man kann auch etwas gewinnen. Letztes Jahr habe ich Einradfahren gelernt und war die Beste. Jetzt möchte ich vielleicht mit Klettern anfangen. Und zum Schluss gibt es immer ein Fußballspiel Schüler gegen Lehrer. Meistens gewinnen die Schüler! ;-)  
Und ihr? Welchen Sport macht ihr? Schreibt mir!  
Liebe Grüße  
Karin

*gestern um 17:23*

**Kari9**

| | | richtig | falsch |
|---|---|---|---|
| | 1. Karins Mitschüler machen gern Sport. | ☒ | ☐ |
| 1 | 2. Fußball finden sie am wichtigsten. | ☐ | ☐ |
| 1 | 3. Basketball ist beliebter als Radfahren. | ☐ | ☐ |
| 1 | 4. Karin findet Badminton am besten. | ☐ | ☐ |
| 1 | 5. Karin kann auch gut Klettern. | ☐ | ☐ |
| 1 | 6. Im Fußball sind die Lehrer so gut wie die Schüler. | ☐ | ☐ |

___/5

**4** **Schreib Karin und beantworte jede Frage. Vergiss Anfang und Ende nicht.**

– Welchen Sport machst du oder findest du gut?  – Wo macht man den Sport?
– Warum?  – Was macht/braucht man?

_____  ½

_____  1

_____  1

_____  1

_____  1

_____  ½

___/5

**5** **Welche sieben Sportarten findest du? Markiere.**

| A | J | I | D | L | E | S | H | C | S | M | A | B | W | G | U | D | I | N | V | K | F | K |
|---|---|---|---|---|---|---|---|---|---|---|---|---|---|---|---|---|---|---|---|---|---|---|
| B | A | L | L | E | T | T | O | H | O | I | N | L | I | N | E | S | K | A | T | E | N | U |
| O | M | G | A | H | O | Q | C | D | B | L | S | F | U | A | S | I | M | P | A | T | W | B |
| X | B | E | S | C | H | U | K | I | H | S | K | I | F | A | H | R | E | N | H | G | Y | P |
| E | N | K | U | F | U | L | E | N | P | J | O | T | I | S | C | H | T | E | N | N | I | S |
| N | D | V | O | L | L | E | Y | B | A | L | L | X | S | C | H | O | A | Y | N | M | E | Z |

½
½
½
½
½
½
___/3

**6** **Wichtige Daten für Oliver. Schreib die Ordinalzahlen in Buchstaben.**

1. Heute ist der _achtundzwanzigste_ (28.) Januar. Das ist mein Geburtstag.

2. Am _____ (7.) Juni beginnt die Europameisterschaft.  1

3. Das Sportfest im Schwimmbad ist am _____ (19.) August.  1

4. Der _____ (31.) Dezember ist auch wichtig. Da ist Silvester.  1

___/3

**7** **Vergleiche Paul, Felix und Robby. Schreib Sätze mit Komparativ und Superlativ wie im Beispiel.**

**Paul**
– 15 Jahre
– 1,80 m
– ☺

**Felix**
– 16 Jahre
– 1,75 m
– ☺☺☺

**Robby**
– 14 Jahre
– 1,69 m
– ☺☺

1. schnell: _Paul ist schneller als Robby. Aber Felix ist am schnellsten._

2. alt: _____  1+1

3. groß: _____  1+1

4. lustig: _____  1+1

___/6

**Meine Bewertung**  ☺ ☺ ☹

**Punkte**  _____/30

Name _____ Klasse _____ Datum _____

**1** Du hörst ein Gespräch zwischen zwei Jugendlichen. Lies die Aufgaben und kreuze an: richtig oder falsch? Du hörst das Gespräch zweimal.

|  | richtig | falsch |
|---|---|---|
| 1. Simon findet das T-Shirt von Leon gut. | ☒ | ☐ |
| 2. Die Jungen kaufen ihre Kleidung gern im Kaufhaus. | ☐ | ☐ |
| 3. Simon spielt nicht gern am Computer. | ☐ | ☐ |
| 4. Simon kauft Bücher nur im Buchladen. | ☐ | ☐ |
| 5. Die Jungen wollen in der Bäckerei etwas essen. | ☐ | ☐ |
| 6. Simon muss sich beeilen. | ☐ | ☐ |

1
1
1
1
1

___/5

7

**2** Hör zu. Wo sind die Jugendlichen?

1. _Imbiss_ _____

2. _____

3. _____

4. _____

1
1
1

___/3

8

IMBISS

**3** Lies die Anzeige. Was ist richtig: a, b oder c? Kreuze an.

Samstag, 7. Mai, 10–17 Uhr, Susannenstraße 23–25

# Benefiz-Flohmarkt im Albertinen-Gymnasium

Unsere Schüler und Schülerinnen organisieren auch dieses Jahr wieder einen Flohmarkt mit Kleidung, Sportsachen und Spielzeug. Sie verkaufen leckere Kuchen, Torten und Getränke. Die Musik-AG gibt um 15 Uhr zusammen mit Schülern der Hauptschule Altstadt ein Konzert in der Turnhalle. Das Geld bekommt unsere Partnerschule in Afrika. Im letzten Jahr waren über 1000 Besucher auf dem Flohmarkt. Das Ergebnis: mehr als 1500 Euro! Wir möchten auch dieses Jahr wieder viel Geld für die Schüler und Schülerinnen in Afrika sammeln.

**Alle können kommen, nicht nur Eltern, Lehrer und Schüler!**

1. Auf dem Flohmarkt gibt es …

   a Klamotten und CDs.

   b Kleidung aus Afrika.

   ☒ mehr als nur Kleidung.

2. Die Schüler organisieren den Flohmarkt, …

   a weil sie in Afrika helfen wollen.

   b weil sie viele Klamotten haben.

   c weil sie Musik machen wollen.

3. Der Flohmarkt ist …

   a von zehn bis vier Uhr.

   b einmal im Jahr.

   c immer im Mai.

4. Der Flohmarkt ist für …

   a alle Jugendlichen.

   b alle Eltern und Lehrer.

   c alle Leute.

1

1+1

___/3

**4 Ulli kauft Kleidung. Ordne den Dialog.**

a. Guten Tag, kann ich dir helfen?

b. Ja, die ist ganz gut. Und jetzt brauche ich noch einen Pullover.

c. Rot gefällt mir nicht so gut. Gibt es den auch in Grün?

d. 48 Euro.

e. Ja, ich suche einen Pullover und eine Jeans.

f. Hier habe ich einen roten Pullover. Wie findest du den?

g. Das Grün ist super! Und was kostet der Pullover?

h. Ich zeige dir zuerst die Hosen. Welche Größe brauchst du denn?

i. O. k., hier ist eine Jeans in Größe S. Gefällt sie dir?

j. Einen Augenblick, ich schaue mal … Ja, hier, bitte.

k. S oder M, glaube ich.

l. Gut, den nehme ich! Und die Hose auch.

| 1. | 2. | 3. | 4. | 5. | 6. | 7. | 8. | 9. | 10. | 11. | 12. |
|----|----|----|----|----|----|----|----|----|-----|-----|-----|
| a  |    |    |    |    |    |    |    |    |     |     | l   |

10 x ½

___/5

**5 Was denkt Sara vor der Party? Ergänze die Adjektivendungen.**

Lara feiert heute eine Party und wir ziehen lustig_e_ (1) Sachen an. Ich brauche also alt____ (2) Klamotten! Hat Mama nicht einen lang____ (3) Rock? … Nein, schade, aber ein rot____ (4) Kleid kann ich anziehen! Hm, vielleicht kann ich auch ihren grün____ (5) Hut haben? … Cool, und hier, eine blau____ (6) Jacke? Nein, lieber einen altmodisch____ (7) Gürtel. Dann kaufe ich noch eine bunt____ (8) Strumpfhose und ziehe meine alt____ (9) Stiefel an. Und vielleicht leiht mir Papa noch eine kariert____ (10) Krawatte … Super, das ist perfekt! Und meinen groß____ (11) Schirm nehme ich auch mit.

½

½ + ½

½

½

½ + ½

½

½

½

___/5

**6 Minidialoge. Ergänze die Adjektivendungen und Demonstrativartikel.**

1. ● Kaufst du den schick_en_ Mantel dort? ○ Nein, _der_ ist zu teuer.

2. ● Gefällt dir das rot____ Hemd? ○ Ja, _____ finde ich klasse!

3. ● Wo hast du die toll____ Bluse gekauft? ○ _____ ist ein Geschenk von Caro.

4. ● Der bunt____ Schal ist ja cool! Ist er neu? ○ Ja, _____ habe ich im Urlaub gekauft.

5. ● Ich probier mal die süß____ Mütze hier an. ○ Süß? _____ finde ich langweilig.

6. ● Magst du den blau____ Gürtel? ○ Ja, _____ steht dir super!

½ + ½

½ + ½

½ + ½

½ + ½

½ + ½

___/5

**7 Schreib Sätze mit *dass*.**

1. Mia sagt, _dass sie Mode nicht interessant findet._

2. Niko denkt, _____

3. Peter findet, _____

4. Max sagt, _____

5. Laura erzählt, _____

*1. Mode finde ich nicht interessant.*

*2. Schicke Klamotten sind teuer.*

*3. Shoppen ist langweilig!*

*4. Einkaufen macht Spaß.*

*5. Ich bin ein Modefreak.*

1

1

1

1

___/4

**Meine Bewertung**

**Punkte** _____/30

☺ ☺ ☹

Name _____  Klasse _____  Datum _____

**1** **Du hörst eine Information im Radio. Lies die Aufgaben und kreuze an: a, b oder c?**
**Du hörst die Information zweimal.**

1. Was ist das Thema?

    a Wohnen in der Stadt.

    ☒ So wohnen Jugendliche.

    c Das machen Jugendliche in der Freizeit.

2. Wen hat „Radio Salto" gefragt?

    a Kinder unter 14 Jahren.

    b Jugendliche bis 18 Jahre.

    c Junge Leute aus der Stadt.

3. Was finden Jugendliche wichtig?

    a Einen Sportplatz in der Nähe.

    b Viel Freizeit und gute Freunde.

    c Ein großes Zimmer.

4. Was ist in der Stadt anders als auf dem Dorf?

    a Im Zimmer gibt es Internet.

    b Die Mieten sind billiger.

    c Die Zimmer sind nicht so groß.

___/3

**2** **Christina erzählt. Was ist wo im Wohnzimmer? Hör zu und notiere die Wörter mit Artikel. Du hörst den Text zweimal.**

1. *das Sofa* _____

2. _____

3. _____

4. _____

5. _____

6. _____

___/5

**3** **Lies Sandras Bericht. Kreuze an: richtig oder falsch?**

> Wir wohnen jetzt nicht mehr im Hochhaus in der Elisenstraße. Unsere neue Wohnung ist in einem Mehrfamilienhaus in der Stadt. Das ist viel besser als ein Hochhaus! Überall ist es sehr grün und aus dem Fenster kann ich Bäume sehen. Das gefällt mir. Und wir haben einen Balkon. Das ist mein Lieblingsplatz!
> Bis zum Park sind es nur 10 Minuten und die Stadtmitte ist nicht weit. Das finde ich gut, weil ich mit dem Fahrrad zur Schule fahren kann. Meine Freundin Lea wohnt auch hier. Sie holt mich ab und wir fahren zusammen.
> Aber es gibt auch ein Problem: Meine Schwester Sara und ich müssen ein Zimmer teilen. Unser Zimmer ist groß, aber manchmal möchte Sara Musik hören und ich möchte schlafen oder ich muss Hausaufgaben machen und Sara telefoniert mit ihren Freundinnen. Das nervt mich und dann gibt es Krach! Meine Eltern verstehen das nicht. Sie glauben, dass Geschwister immer Freunde sind.

|  | richtig | falsch |
|---|---|---|
| 1. Sandra hat früher in einem Hochhaus gewohnt. | ☒ | ☐ |
| 2. Sandra wohnt lieber im Mehrfamilienhaus. | ☐ | ☐ |
| 3. Sandra mag den Blick aus der Wohnung nicht. | ☐ | ☐ |
| 4. Sandra ist am liebsten in ihrem Zimmer. | ☐ | ☐ |
| 5. Lea wohnt in der Nähe. | ☐ | ☐ |
| 6. Sandra und ihre Schwester haben nie Streit. | ☐ | ☐ |

___/5

**4** Jakobs Wohnung. Ergänze die passenden Wörter im Text.

~~Altbau~~ • Arbeitszimmer • Badewanne • Fenster • Laptop • Lieblingsplatz • Keller • Schlagzeug • Treppe

Unsere Wohnung ist ein _Altbau_ (1) und liegt im vierten Stock. Ich nehme also jeden Tag die

_____ (2). Das macht fit. Hier ist das _____ (3), da stehen ein                    ½ + ½

Schreibtisch und ein _____ (4). Und hier ist mein _____ (5):                    ½ + ½

die _____ (6). Ich liege gern im Wasser und höre Musik. Hier am                    ½

_____ (7) stehe ich manchmal und schaue auf die Straße. Wir haben auch einen                    ½

_____ (8). Das ist sehr gut, weil ich _____ (9) spiele.                    ½ + ½

Da kann ich laut Musik machen und ärgere die Nachbarn nicht.                    ___/4

**5** Chaos bei Michael. Wo sind die Sachen? Schreib Sätze mit *liegen, stehen* und *hängen*.

1. Die Schultasche _liegt auf dem Sofa._____

2. Das Skateboard _____                    1

3. Das Bild _____                    1

4. Die Sportschuhe _____                    1

5. Die Bücher _____                    1

___/4

**6** Michael räumt auf. Wohin bringt er die Sachen? Schreib Sätze mit *legen, stellen* und *hängen*.

1. (Schultasche → Stuhl) _Er stellt die Schultasche auf den Stuhl._____

2. (Skateboard → Flur) _Er_____                    1

3. (Bild → Wand) _____                    1

4. (Sportschuhe → Schrank) _____                    1

5. (Bücher → Bücherregal) _____                    1

___/4

**7** Wie wohnst du? Schreib einen Text mit 50 Wörtern oder mehr. Beantworte jede Frage.

| | |
|---|---|
| 1. Wo wohnst du? | 4. Welche Möbel gibt es? |
| 2. Was ist positiv oder negativ? | 5. Wo ist dein Lieblingsplatz in der Wohnung? |
| 3. Wie ist dein Zimmer? | |

1+1
1+1
1

_____

_____

_____

_____

_____

_____

___/5

**Meine Bewertung**                    ☺ ☺ ☹

**Punkte**                    _____ /30

Name _____    Klasse _____    Datum _____

**1** **Wie geht's? Hör die Dialoge und kreuze an.**

|        | 1. | 2. | 3. | 4. | 5. | 6. |
|--------|----|----|----|----|----|----|
| a. ☺   | X  |    |    |    |    |    |
| b. ☺   |    |    |    |    |    |    |
| c. ☹   |    |    |    |    |    |    |

5 x 1
___/5

**2** **Lies den Brief an die Psychologin Frau Dr. Kahn und kreuze an: richtig oder falsch?**

Liebe Frau Dr. Kahn,

früher habe ich die Briefe in Ihrer Zeitung nur gelesen. Jetzt habe ich selbst ein Problem, deshalb schreibe ich Ihnen. Können Sie mir vielleicht helfen? Mein Bruder Jakob und ich waren immer beste Freunde, aber jetzt streiten wir uns ganz viel. Mein Bruder ist zwei Jahre älter als ich und wir haben immer alles zusammen gemacht. Aber jetzt will er immer allein sein. Er hört laut Musik, ist oft genervt und sagt, dass ich ihn in Ruhe lassen soll. Er will auch nicht, dass ich seine Freunde treffe. Unseren Eltern widerspricht er auch immer. Ich bin total traurig, weil ich meinen Bruder nicht mehr verstehe. Was ist los? Haben Sie vielleicht eine Idee?

Julie

|   |   | richtig | falsch |
|---|---|---------|--------|
|   | 1. Julie schreibt oft an Frau Dr. Kahn. | ☐ | ☒ |
| 1 | 2. Julie und ihr Bruder haben sich früher gut verstanden. | ☐ | ☐ |
| 1 | 3. Julies Bruder ist ein bisschen jünger als sie. | ☐ | ☐ |
| 1 | 4. Julies Bruder ist jetzt anders als früher. | ☐ | ☐ |
| 1 | 5. Julie hat auch Probleme mit den Eltern. | ☐ | ☐ |
| 1 | 6. Julie findet schade, dass sie Jakob nicht versteht. | ☐ | ☐ |

___/5

**3** **Sich entschuldigen und widersprechen. Finde für jede Frage zwei Reaktionen.**

1. _a, f_ Wo warst du? Es ist schon spät.

½ + ½  2. _____ Kannst du die Musik bitte leiser machen?

½ + ½  3. _____ Warum kommst du immer zu spät?

½ + ½  4. _____ Hast du mir meine CD mitgebracht?

½ + ½  5. _____ Warum hast du Tom nicht angerufen?

a. Ich habe doch Papa gesagt, dass ich ins Kino gehe.
b. Nein, aber morgen gebe ich sie dir!
c. Die muss man laut hören, Mama.
d. Entschuldige, die habe ich vergessen!
e. Das stimmt nicht! Und du bist auch nicht immer pünktlich!

f. Spät? Es ist doch erst 10 Uhr!
g. Sorry, ich habe gedacht, dass ich allein zu Hause bin!
h. Er ruft mich auch nie an!
i. Oje, das habe ich vergessen! War er sauer?
j. Entschuldigung, aber meine Uhr ist kaputt!

___/4

**4** Ergänze die Reflexivpronomen in der E-Mail von Conny.

Hallo Anja,

erinnerst du _dich_ (1) noch an meine Freunde Paula und
Leander? Gestern habe ich _____ (2) sehr über sie
gewundert. Die beiden haben _____ (3) in der Pause
gestritten. Einfach so, ohne Grund! Ich habe sie gefragt:
„Warum streitet ihr _____ (4) denn?" Paula und Leander
haben nichts geantwortet, aber sie haben _____ (5)
entschuldigt. Zum Glück! Wir haben _____ (6) für heute
Nachmittag verabredet und gehen zusammen ins Kino. Ich
verstehe die beiden aber immer noch nicht …
Bis bald, deine Conny

1
1

1
1
1

___/5

**5** Ergänze die Modalverben in der richtigen Form.

● Mama, _darf_____ (1) ich heute mit Luise ins Konzert gehen?
  Wir _____ (2) die „Green Dogs" sehen.
○ Und deine Hausaufgaben, Lea?
● Wir haben nicht viele Hausaufgaben, Mama!
  Wir _____ (3) nur die neuen Wörter in Französisch lernen.
○ Gut, aber dein Zimmer _____ (4) du auch noch aufräumen!
● _____ (5) ich das nicht morgen machen, Mama?
○ Nein, Lea, ich _____ (6), dass du das heute machst.

| 1. | a. dürfen |
|    | b. sollen |
| 2. | a. wollen |
|    | b. können |
| 3. | a. können |
|    | b. sollen |
| 4. | a. dürfen |
|    | b. müssen |
| 5. | a. Sollen |
|    | b. Können |
| 6. | a. möchten |
|    | b. sollen |

1

1
1
1
1

___/5

**6** Was machst du, wenn …? Schreib Sätze wie im Beispiel.

Ich lade meine Freunde ein. • Meine Eltern und ich fahren ans Meer. • Ich gehe allein joggen. •
Ich muss manchmal weinen. • ~~Ich schlafe ganz viel.~~

1. Du bist müde.
   _Wenn ich müde bin, schlafe ich ganz viel._ _____

2. Du hast Geburtstag.
   _____    1 ½

3. Du bist traurig.
   _____    1 ½

4. Du hast Ferien.
   _____    1 ½

5. Deine Freunde haben keine Zeit.
   _____    1 ½

___/6

**Meine Bewertung**
**Punkte**                                        ☺ ☺ ☹
                                        _____ /30

Name _____  Klasse _____  Datum _____

**1** Hör das Gespräch zwischen Annika und Tom. Lies die Aufgaben und kreuze an: richtig oder falsch? Du hörst das Gespräch zweimal.

|  | richtig | falsch |
|---|---|---|
| 1. Annika und Tom sprechen über ihre Essgewohnheiten. | ☒ | ☐ |
| 2. Annika und Tom trinken zum Frühstück Tee. | ☐ | ☐ |
| 3. In der Mensa gibt es fast immer Fleisch. | ☐ | ☐ |
| 4. Tom denkt, dass Fastfood nicht gesund ist. | ☐ | ☐ |
| 5. Annika und ihre Eltern essen mittags zusammen. | ☐ | ☐ |
| 6. Annika lädt Tom zum Essen ein. | ☐ | ☐ |

1
1
1
1
1
___/5

**2** Das Lieblingsrezept von Maria. Hör zu und ergänze das Rezept. Du hörst den Text zweimal.

½ + ½
½ + ½
½ + ½
½ + ½
___/4

**Zutaten:**

ein (1) _Salat_____

(2) _____ Tomaten

(3) zwei _____

(4) eine _____

(5) 100 Gramm _____

für die Soße:

(6) drei _____ Öl,

(7) ein bisschen _____

(8) eine Prise _____ und

ein bisschen (9) _____

**3** Lies den Zeitungstext und beantworte die Fragen mit wenigen Wörtern.

### Isst du gesund oder ungesund?

Das Frühstück ist die wichtigste Mahlzeit am Tag. Deshalb gibt es jetzt in vielen Schulen in ganz Deutschland das Projekt: „Richtig frühstücken – fit sein für den Tag".

Susanne aus Düsseldorf hat mitgemacht und sagt, dass sie viel gelernt hat: „Ich frühstücke sehr gern. Meistens esse ich ein Müsli und trinke einen Orangensaft, aber viele Schüler aus meiner Klasse frühstücken zu wenig. Sie essen zu Hause nur ein, zwei Kekse oder Chips und gehen dann schnell zur Schule. Das ist nicht gesund." Nein, denn zu einem guten Frühstück gehört am besten ein Brot mit Marmelade, Käse oder Wurst genauso wie eine Tasse Milch oder ein Orangensaft. Auch Obst ist gesund.

Jugendliche aus 50 Städten haben zwei Wochen lang jeden Tag ihre Essgewohnheiten beobachtet und alles notiert. Am letzten Tag haben sie zusammen gefrühstückt und jeder hat etwas mitgebracht. „Zusammen schmeckt es besser", sagt Jens aus der Klasse 9b. „Uns hat es sehr viel Spaß gemacht. Meine Freunde und ich wollen ab jetzt jeden Donnerstag zusammen frühstücken."

1. Was ist das wichtigste Essen am Tag?  _Das Frühstück._____

2. Was machen viele Jugendliche falsch? _____

3. Was isst man am besten zum Frühstück? _____

4. Wie lange hat das Projekt gedauert? _____

5. Was planen Jens und seine Freunde? _____

1
1
1
1
___/4

**4** Wie heißen die Lebensmittel im Singular? Schreib auch den bestimmten Artikel.

3. _____

1. _der Reis_____ 2. _____ 4. _____ 3 x 1

5. _____

6. _____ 8. _____ 4 x 1

7. _____

___/7

**5** Ergänze die Präpositionen in Steffens Postkarte.

~~aus~~ • aus • bei • mit • nach • nach • seit • von • zu

Hallo Caro,

viele Grüße **aus** (1) London! Ich bin jetzt schon _____ (2)
½

zwei Wochen hier _____ (3) Brian. Es ist super! Brian ist sehr
½

nett und er hat mir schon viel _____ (4) London gezeigt.
½

Brians Mutter kommt _____ (5) Indien und kocht fantastisch!
½

Und morgen fahre ich _____ (6) Brian und seinem Vater
½

_____ (7) Oxford. Ich freue mich schon!
½

Nächsten Sommer kommt Brian _____ (8) uns _____ (9)
½ + ½

München, dann lernst du ihn auch kennen!
___/4

Bis bald

Steffen

_C_

_B_

_9_

**6** Ergänze die Possessivartikel im Dativ.

1. Das Buch gehört **meinem**____ Vater.

2. Die Fotos gefallen _u_____ Eltern sehr gut.    1

3. Karl wünscht _____ Großmutter alles Gute zum Geburtstag.    1

4. Inga geht heute Abend mit _____ Freundin ins Kino.    1

5. Elisa, was schmeckt _____ Pferd am besten?    1

6. Was schenkt ihr _____ Geschwistern zu Weihnachten?    1

7. Gaby und Lukas sprechen viel von _____ Urlaub.    1

___/6

**Meine Bewertung**     ☺ ☺ ☹

**Punkte**     _____/30

# 8 Test

Name _____  Klasse _____  Datum _____

**1** Hör die Minidialoge und ordne zu.

14

5 x 1

___/5

A Jemand nennt einen Grund: _____     B Jemand äußert eine Vermutung: *1,* _____

**2** Du hörst zwei Nachrichten am Telefon. Lies die Aufgaben und kreuze an:
a, b oder c? Du hörst jede Nachricht zweimal.

15

A

1+1

1. Warum ruft Manuel an?

☒ Weil er wichtige Informationen hat.

b Weil er nicht in der Schule war.

c Weil er ins Museum gehen will.

2. Was ist weg?

a Münzen.

b Ein Handy.

c Zwei Laptops.

3. Was soll Erik tun?

a Anrufen.

b Eine SMS schicken.

c Zur Schule kommen.

B

1+1

4. Was will Christine machen?

a Einen Kaffee trinken.

b Ein Buch kennenlernen.

c Ein Buch lesen.

5. Wann soll Lena anrufen?

a Am Abend.

b Sofort.

c Um 17 Uhr.

___/4

**3** Lies die Zeitungsartikel und die Sätze. In welchem Text findest du die Information:
A, B, C oder 0 (gar nicht)? Kreuze an.

A **Diebstahl im Stadtmuseum**

Hannover. Wie die Polizei mitteilt, hat gestern jemand wertvolle Goldmünzen und ein Bild aus dem Stadtmuseum gestohlen. Der Museumsdirektor vermutet, dass der Diebstahl vor 10 Uhr morgens war. „Um 11 Uhr hat mir die Aufsicht gesagt, dass ein Bild fehlt", erzählt der Museumsdirektor. Wer ist der Täter? Die Polizei weiß es noch nicht.

B **Reisegruppe verdächtig?**

Im beliebten Stadtmuseum fehlen seit Samstagmorgen Goldmünzen und ein wertvolles Bild. Wer war der Dieb? Für die Polizei ist es ein mysteriöser Fall. Am Morgen hat die Aufsicht entdeckt, dass ein Bild fehlt. Doch zu dieser Zeit war nur eine Reisegruppe im Museum. „Der Diebstahl war wohl vor 10 Uhr morgens. Vielleicht auch schon am Freitagnachmittag.", hat uns der Museumsdirektor mitgeteilt.

C **Diebstahl entdeckt!**

Im Stadtmuseum hat jemand am Samstag ein Bild gestohlen. Die Aufsicht im Saal hat keine verdächtige Person gesehen: „Hier war am Morgen eine Reisegruppe. Sie wollten Informationen zu den Goldmünzen haben. Ich habe sie ihnen gezeigt. Das war um 9.30 Uhr." Der Museumsdirektor möchte nichts zu dem mysteriösen Fall sagen. Helfen Sie! Die Polizei sucht Spuren: „Wer hat eine verdächtige Person im Stadtmuseum gesehen?"

1. Vielleicht war der Diebstahl schon vor Samstagmorgen.    A ☒ C 0

1

2. Der Museumsdirektor möchte der Zeitung keine Information geben.    A B C 0

1

3. Die Aufsicht hat dem Museumsdirektor mitgeteilt, dass ein Bild fehlt.    A B C 0

1

4. Eine Reisegruppe hat die Goldmünzen angeschaut.    A B C 0

1

5. Die Aufsicht hat gesehen, dass die Goldmünzen fehlen.    A B C 0

1

6. Eine Gruppe war im Museum, da hat jemand den Diebstahl entdeckt.    A B C 0

___/5

**4** **Welches Fragewort passt zu den markierten Wörtern? Schreib das Fragewort.**

1. Jakob ist 15 Jahre alt.   _Wer?_
2. Er kommt aus Bielefeld.   _____   ½
3. Heute trifft er seine Freunde.   _____   ½
4. Sie wollen ins Kino gehen.   _____   ½
5. Der Film beginnt um 15 Uhr.   _____   ½
6. Jakob ist zuerst da und kauft die Kinokarten.   _____   ½
7. Es ist 14.55 Uhr und Jakob wartet vor dem Kino.   _____   ½
8. Seine Freunde sind noch nicht da, weil ihr Bus zu spät ist.   _____   ½
9. Jakob denkt nach: Vielleicht kann ich schon ins Kino gehen und
   dem Verkäufer die Karten geben?   _____   ½

___/4

**5** **Lies das Tagebuch von Jenny. Ergänze *haben, sein* und die Modalverben im Präteritum.**

Gestern __war__ (1) Samstag. Super, schulfrei!
Ich _____ (2) lang schlafen. Mama und
Papa _____ (3), dass ich mit ihnen frühstücke, aber ich _____ (4) keine Lust. Ich
bin erst um 10 Uhr aufgestanden und bin
gleich mit meinem Fahrrad zum Reiten gefahren. ☺ Danach _____ (5) ich mein Zimmer
aufräumen. Das hat drei Stunden gedauert! ☹.

Abends _____ (6) dann das Konzert von
den Mischka Singers. Es hat mir und Lea (Ich
gehe doch nicht ohne meine beste Freundin!)
super gefallen, aber leider _____ (7) wir
nur bis 22 Uhr bleiben. Unsere Eltern nerven!!!
Um 22.30 Uhr _____ (8) wir schon
wieder zu Hause sein. Nächstes Mal bleibe ich
bestimmt länger!

1
1
1
1+1

1
1
___/7

**6** **Lies die Anzeige und antworte mit einem Brief. Schreib 50 Wörter oder mehr. Stell dich vor (Name, Alter, Land) und schreib zu jeder Frage ein bis zwei Sätze.**

**LIEST DU GERN?**

WIR, DIE JUGENDLICHEN VON DER PROJEKTGRUPPE „DIE LESERATTEN",
FRAGEN ALLE SCHÜLER UND SCHÜLERINNEN AUF DER GANZEN WELT:
WAS LIEST DU GERN? WANN ODER WIE OFT LIEST DU? WO LIEST DU?
SCHREIB UNS BIS ZUM 15. JUNI. DU KANNST AUCH EIN SPANNENDES BUCH
GEWINNEN: DIE NEUESTEN GESCHICHTEN VON DETEKTIV EINSTEIN!

ADRESSE: „DIE LESERATTEN", SCHILLER-GYMNASIUM, BREITE STR. 1, BONN

_____   ½

_____   1

_____   1

_____   1

_____   1

_____   ½

___/5

**Meine Bewertung**   ☺ ☺ ☹
**Punkte**   _____/30

# 9 Test

Name _____  Klasse _____  Datum _____

**1** Du hörst ein Interview. Kreuze an: richtig oder falsch? Du hörst das Interview zweimal.

16

|  | richtig | falsch |
|---|---|---|
| 1. Das Interview ist mit zwei Schülern. | ☒ | ☐ |
| 2. Michel bekommt so viel Taschengeld wie seine Freunde. | ☐ | ☐ |
| 3. Claudia bekommt mehr Taschengeld als Michel. | ☐ | ☐ |
| 4. Claudia und Michel bezahlen vom Taschengeld ihr Handy. | ☐ | ☐ |
| 5. Claudias Eltern haben Angst, dass sie zu viel Geld ausgibt. | ☐ | ☐ |
| 6. Michel verdient seit einigen Wochen auch Geld. | ☐ | ☐ |

1
1
1
1
1
___/5

**2** Lies die Texte und kreuze an: a, b oder c?

> **A** **Taschengeld aufbessern in den Ferien!**
> Für die Monate Juni, Juli und August suchen wir Schüler und Schülerinnen als Verkäufer für unser Eiscafé am Marktplatz. Unsere Gäste sind 3 bis 80 Jahre alt und freuen sich über freundliche Kellner! Du kannst am Morgen ab 10 Uhr, am Nachmittag oder abends bis 20 Uhr bei uns arbeiten. Am Samstag haben wir bis 23 Uhr offen. Am Montag ist das Eiscafé geschlossen.
> Hast du Interesse? Dann ruf uns an und frag nach Mario. Tel.: 03027-5515.
> P.S.: Kostenlos Eis essen darfst du bei uns natürlich auch!

1+1

| 1. Das ist eine Anzeige für … | 2. Das Eiscafé braucht … | 3. Das Eiscafé ist offen … |
|---|---|---|
| a kostenloses Eis. | a Gäste. | a von Montag bis Sonntag. |
| ☒ einen Schülerjob. | b Schüler. | b jeden Tag bis 23 Uhr. |
| c ein Eiscafé. | c Verkäufer. | c meistens bis 20 Uhr. |

> **B** Viele Jugendliche finden, dass sie zu wenig Taschengeld bekommen. Oft reicht es nicht für alle Wünsche. Aber Eltern haben dazu meistens eine andere Meinung.
> Am Freitag diskutieren Jugendliche und Erwachsene im Jugendzentrum „Spreeweg" über das Thema und sammeln Ideen: Was kann man tun, damit das Taschengeld bis zum Monatsende reicht? Du bekommst Spartipps und Ideen für Schülerjobs. Radio ffm ist dabei.
> Hast du Interesse? Dann hör einfach zu: Radio ffm, Freitag 17–18 Uhr.
> Und was denkst du zum Thema Taschengeld? Ruf uns an: 02243-45383, täglich 10–19 Uhr.

1+1+1

| 4. Das ist ein Text über … | 5. Viele Jugendliche … | 6. Bei Radio ffm kann man … |
|---|---|---|
| a einen Beitrag im Radio. | a haben genug Geld. | a seine Meinung sagen. |
| b Probleme zwischen Eltern und Jugendlichen. | b denken über Taschengeld anders als Eltern. | b sein Taschengeld aufbessern. |
| c Schülerjobs. | c suchen einen Job. | c mit anderen diskutieren. |

___/5

**3** Wie heißen die sieben Wörter zum Thema Geld? Schreib die Nomen mit Artikel.

½
½ + ½
½ + ½
½

| 1. LLODAR | *der Dollar* | 5. HUNGWÄR | _____ |
|---|---|---|---|
| 2. KAGERTELD | _____ | 6. ALTGEH | _____ |
| 3. TESKON | _____ | 7. NIEVENERD | _____ |
| 4. NEBEGSUA | _____ | | |

___/3

**4** **Minidialoge. Finde die Antwort auf die Fragen und ergänze *wofür* oder *für wen*.**

1. _Für wen_ hast du das Bild gemalt?

2. _____ gibst du dein Taschengeld aus?

3. _____ interessierst du dich in der Schule am meisten?

4. _____ sind die Bücher, Karin?

5. _____ hast du immer Zeit?

a. Die holt Pia später ab, Mama.

b. Für Sport. Das ist mein Hobby.

c. Ich spare. Ich möchte einen neuen I-Pod kaufen.

d. Ich mag Mathe und Bio am liebsten.

e. Für meine Mutter. Sie hat morgen Geburtstag.

1
1
1
1
___/4

**5** **Peter erzählt. Ergänze die Zeit-Präpositionen.**

„Zeit ist Geld", sagt mein Opa immer. Deshalb stehe ich

früh auf und jobbe schon _vor_ (1) der Schule. Also,

montags und _____ (2) Donnerstag jobbe ich _____ (3)

sechs _____ (4) sieben Uhr. Ich gehe mit dem Hund von

unseren Nachbarn spazieren. Das mache ich aber erst

_____ (5) drei Wochen. Und einmal pro Woche gebe

ich _____ (6) dem Unterricht eine Stunde Nachhilfe –

jeden Mittwoch _____ (7) 17 Uhr. Da verdiene ich gut!

1+1
1

1
1
1
___/6

**6** **Schreib Sätze mit *damit*.**

1. Caro spart ihr Taschengeld, _damit sie ein neues Fahrrad kaufen kann._
(Sie kann ein neues Fahrrad kaufen.)

2. Marc jobbt in einem Geschäft, _____
(Er hat Geld für seine Hobbys.)

3. Frauke gibt Nachhilfe, _____
(Sie muss nicht nach Geld fragen.)

4. Jan gibt nicht viel aus, _____
(Er ist am Monatsende nicht pleite.)

1

1

1
___/3

**7** **Was passt? Ordne zu und verbinde die Sätze mit *trotzdem*.**

Es reicht oft nicht. • ~~Ich muss vor 23 Uhr zu Hause sein.~~ • Ich war nicht auf seiner Party. •
Ich habe Geld für Hobbys. • Ich hatte viel Spaß.

1. Meine Eltern vertrauen mir, _trotzdem muss ich vor 23 Uhr zu Hause sein._

2. Ich bekomme nicht viel Taschengeld, _____

3. Florian und ich verstehen uns gut, _____

4. Ich durfte nicht auf der Party übernachten, _____

5. Ich spare mein Taschengeld, _____

1

1

1

1
___/4

**Meine Bewertung**

**Punkte**

☺ ☺ ☹

_____/30

Name _____ Klasse _____ Datum _____

**1** Du hörst ein Gespräch zwischen zwei Jugendlichen. Lies die Aufgaben und kreuze an: richtig oder falsch? Du hörst das Gespräch zweimal.

(CD 17)

|  | richtig | falsch |
|---|---|---|
| 1. Leonie hat eine Reise mit ihren Eltern gemacht. | ☒ | ☐ |
| 2. Leonie und ihre Schwester wandern gern. | ☐ | ☐ |
| 3. Leonie ist auch gern am Meer. | ☐ | ☐ |
| 4. In der Schweiz war gutes Wetter. | ☐ | ☐ |
| 5. Anke hat im Juli Campingurlaub am Meer gemacht. | ☐ | ☐ |
| 6. Weil das Wetter schlecht war, konnte Anke nicht baden. | ☐ | ☐ |

1
1
1
1
1
___/5

**2** Hör den Wetterbericht für Deutschland und kreuze an: Wie ist das Wetter heute?

(CD 18)

|  | ⛈ | 🌧 | ☁ | ☀ | 🌡 | 🌡 |
|---|---|---|---|---|---|---|
| Süden |  | x |  |  | x |  |
| Norden |  |  |  |  |  |  |
| Osten |  |  |  |  |  |  |
| Westen |  |  |  |  |  |  |

½ + ½
½ + ½
½ + ½
___/3

**3** Lies die Texte und ordne je eine Überschrift zu. Zwei Überschriften passen nicht.

1
Dieses Jahr müssen Sie die Ostereier im Haus verstecken. Über Ostern schneit und regnet es in ganz Deutschland.
[1] __c__

Das ideale Programm für jedes Alter, wenn das Wetter zu Ostern schlecht ist. Das Museum in der Havelstraße zeigt vom 10. März bis zum 15. April bunte Ostereier aus verschiedenen Ländern.
[2] ___

1+1

Gestern hat jemand einer Dame im Park ganz nah beim Museum die Tasche gestohlen. Die Polizei will den Fall lösen und braucht Ihre Hilfe. Der Täter ist wohl ein Jogger.
[3] ___

1+1

Joggen ist bei Jugendlichen sehr beliebt. Viele junge Leute joggen mehrmals pro Woche. Das Wetter ist dabei nicht wichtig. „Wenn das Wetter schlecht ist, laufe ich trotzdem im Park. Ich brauche das", erzählt Janine (16).
[4] ___

Schokolade kann auch gesund sein! Das ist eine gute Meldung kurz vor den Feiertagen, denn an Ostern gibt es immer viele Schoko-Ostereier. Und wenn es doch zu viel war, hilft Sport.
[5] ___

Im Stadtmuseum kann man jetzt über die Osterfeiertage alte und moderne Comics anschauen. Und noch ein Freizeittipp für sonnige Tage: Das Gartencafé im Park gegenüber hat leckere Kuchen!
[6] ___

a. *Sport auch bei Regen*

b. Nicht nur Sport ist gesund!

c. Buntes Programm im Park

d. *Ostern international*

e. SCHLECHTES WETTER AN OSTERN

f. **Diebstahl im Museum**

g. *Oster-Programm für jedes Wetter*

h. Wer ist gestern gejoggt?

___/5

**4** **Markiere und korrigiere die Fehler wie im Beispiel.**

Hallo Pia, wie geht's?

1. Tut mir leid, dass ich dir habe so lange nicht geschrieben. _____

2. Ich musse viel für die Schule lernen, *muss*

3. denn wir jetzt im Juni viele Tests schreiben. _____ ½

4. Aber bald sind Ferien. Dann fahren ich mit meinen Eltern _____ ½

5. nach Spanien. Wir bin vom 11. bis zum 25. Juli in Girona. _____ ½

6. Ich freue mich schon sehr. Habst du Zeit? Dann komm uns _____ ½

7. doch besuchen, wenn willst du. Wir haben noch ein Zimmer _____ ½

8. frei. Schreibst mir schnell! Deine Lotte _____ ½

___/3

**5** **Wie ist das Wetter? Schreib Sätze.**

1. *Es ist bewölkt.* _____     4. _____ 1

2. _____     5. _____ 1+1

3. _____     6. _____ 1+1

___/5

**6** **Ergänze die Sätze mit *sondern* oder *sondern auch*.**

im Norden • ~~im Süden~~ • im August • der 26. Dezember • das Neujahrsfest

1. München liegt nicht im Norden von Deutschland, *sondern im Süden.* _____ .

2. Der Schweizer Nationalfeiertag ist nicht im Oktober, _____ . 1

3. In Österreich ist nicht nur der 25. Dezember ein Feiertag, _____ . 1

4. Das wichtigste Fest in China ist nicht Weihnachten, _____ . 1

5. Heute regnet es nicht nur im Süden von Bayern, _____ . 1

___/4

**7** **Schreib eine Postkarte aus dem Urlaub. Schreib zu jedem Punkt ein bis zwei Sätze. Schreib mindestens 50 Wörter.**

– Ort
– Wetter
– Tätigkeiten
– Essen

½
1
1
1
1
½

___/5

**Meine Bewertung**          ☺ ☺ ☹

**Punkte**          _____ /30

Name _____  Klasse _____  Datum _____

**1** **Lies die Texte und hör dann zu. Markiere: Welche Informationen sind falsch?**

1. Die Schüler in Martas Schule wollen eine Talentshow organisieren. Marta findet die Idee aber nicht so gut. Sie hat Angst, wenn sie vor vielen Leuten steht. Sie wird schnell rot und das ist peinlich.

1

2. Claudia möchte Schauspielerin werden. Deshalb findet sie es super, dass sie beim Schulfest auftreten kann. Sie hat schon ein Kostüm genäht.

1

3. Peter möchte nicht selbst auftreten, denn er hat kein Schauspieltalent. Aber seine Freunde sagen, dass er ein guter Moderator ist. Er will an der Talentshow teilnehmen und ist in der Jury.

1+1

4. René mag Musik und singt sehr gut und viel. Seine Familie findet das super. Vielleicht singt Renés Bruder bei der Musikshow auch mit. Renés Eltern können bestimmt nicht zusehen.

1+1

5. Ruth spielt Klavier. Sie hat schon oft an einem Wettbewerb teilgenommen. Sie ist gut vorbereitet, weil sie jeden Tag zwei Stunden geübt hat. Sie ist sehr nervös, weil ihre Freunde zusehen.

___/6

**2** **Lies den Zeitungstext und beantworte die Fragen mit wenigen Wörtern.**

## SCHULFEST EINMAL ANDERS

*Die Schüler und Schülerinnen der Thadden-Realschule haben zu einem besonderen Schulfest eingeladen.*

Essen und Getränke, ein Theaterstück oder ein Konzert, vielleicht auch ein Flohmarkt – das kennt man von Schulfesten. Aber eine Talentshow? Auf dem Schulfest der Thadden-Realschule am letzten Samstag konnte jeder seine Talente zeigen. „Für ein Theaterstück muss man Schauspieltalent haben", hat uns Judith Maurer (18) von der Schülervertretung erklärt, „aber viele Schüler sind vielleicht gut in Musik oder Sport. Vielleicht malen oder fotografieren sie gern. Deshalb haben wir dieses Jahr eine Talentshow organisiert."

Die Auftritte konnte man ab 16 Uhr auf dem Schulhof sehen. Nicht nur Jugendliche, sondern auch Eltern und Lehrer durften mitmachen. Das Programm war bunt: Zum Beispiel hat Eva Klein (15) Mode vorgeführt, Mathelehrer Patrick Leistner (42) hat Gedichte vorgelesen, die Klasse 10a hat eine Quizshow organisiert. Eine Jury hat um 20 Uhr den besten Kandidaten und die beste Kandidatin ausgewählt. Aber das Schulfest war noch lange nicht vorbei: Bis 23 Uhr konnten die Gäste beim Karaokeabend bekannte Lieder nachsingen.

Damit niemand Hunger haben musste, hat die Koch-AG den ganzen Tag gekocht. Für nur 3 Euro konnte man ein leckeres Essen kaufen und die Köche haben sogar ihre Rezepte vorgestellt. Das Geld haben die Jugendlichen in diesem Jahr nicht für ihre Partnerschule gesammelt. „Wir wollen Bäume kaufen, damit es auf dem Schulhof grüner wird", erzählt Judith.

1. Wann war das Schulfest?  *Am letzten Samstag.* _____

1

2. Was war besonders? _____

1

3. Wer konnte teilnehmen? _____

1

4. Wann hat man die Gewinner gewählt? _____

1

5. Was haben die Gäste am Abend gemacht? _____

1

6. Wofür brauchen die Schüler Geld? _____

___/5

**3**  Ergänze *welch-* in der richtigen Form.

1. <u>Welche</u> Talentshow findest du am interessantesten?

2. _____ Kandidat gefällt dir am besten?  1

3. _____ Lied findest du am schönsten?  1

4. _____ Schuhe ziehst du zur Talentshow an?  1

5. Bei _____ Wettbewerb möchtest du teilnehmen?  1

6. Vor _____ Jury willst du auftreten?  1

___/5

**4**  Ergänze die Formen von *werden.*

1. Wenn Paul sich ärgert, <u>wird</u> er immer rot.

2. Du malst gern? Warum _____ du nicht Künstlerin?  1

3. Nächsten Monat habe ich Geburtstag. Ich _____ 17.  1

4. Warum _____ ihr so wütend? Das war doch nur Spaß!  1

5. Wenn wir gewinnen, _____ wir Millionäre!  1

___/4

**5**  Lies den Dialog und markiere für jede Lücke
das passende Adjektiv.

● Schau mal, hier sind Fotos von unserer Talentshow.
Da vorn, der ① Junge mit dem ② Pullover,
das bin ich. Rechts neben mir steht Jan, mein ③
Freund, also, der mit den ④ Haaren und der ⑤
Brille. Und das Mädchen mit dem ⑥ Kleid links
neben mir ist Lisa.

○ Und wo ist Susanne?

● Susanne ist hier. Sie trägt eine ⑦ Bluse mit einem
⑧ Gürtel und eine ⑨ Hose.

○ Ist eure Lehrerin auch auf dem Foto?

● Ja, schau hier, die Frau im Publikum mit dem ⑩
T-Shirt. Hat sie nicht eine ⑪ Tasche?

| | a) | b) | |
|---|---|---|---|
| 1. | a) netter | **b) nette** | |
| 2. | a) blauen | b) blaue | ½ |
| 3. | a) bester | b) besten | ½ |
| 4. | a) dunkle | b) dunklen | ½ |
| 5. | a) roten | b) rote | ½ |
| 6. | a) buntes | b) bunten | ½ |
| 7. | a) roten | b) rote | ½ |
| 8. | a) brauner | b) braunen | ½ |
| 9. | a) weiße | b) weißen | ½ |
| 10. | a) grüne | b) grünen | ½ |
| 11. | a) verrücktes | b) verrückte | ½ |

___/5

**6**  Schreib mit den Wörtern eine Geschichte. Schreib mindestens fünfzig Wörter.

Talentshow • jonglieren • Unfall • Idee • Video

_____  1

_____  1

_____  1

_____  1

_____  1

___/5

**Meine Bewertung**  ☺ ☺ ☹
**Punkte**  _____/30

Name _____ Klasse _____ Datum _____

**1** Du hörst einen Bericht im Radio. Lies die Aufgaben und kreuze an: a, b oder c?
Du hörst den Bericht zweimal.

1. Was ist das Thema?

☒ Schüleraustausch.

☐ b Leben im Ausland.

☐ c Schule in Deutschland.

3. Was ist für viele Jugendliche schwer?

☐ a Sie müssen eine Sprache lernen.

☐ b Die Familie ist weit weg.

☐ c Sie besuchen eine neue Schule.

2. Wie lange dauert ein Austausch?

☐ a Länger als 12 Monate.

☐ b Sechs Monate oder länger.

☐ c Nie länger als ein halbes Jahr.

4. Wohin gehen die meisten deutschen Jugendlichen?

☐ a Nach China.

☐ b Nach England.

☐ c In die USA.

___/3

**2** Du hörst ein Interview mit zwei Jugendlichen. Notiere die Informationen.
Du hörst das Interview zweimal.

| | | – Ludmilla | – Roberto |
|---|---|---|---|
| 1. | Name: | – Ludmilla | – Roberto |
| 2. | Aus welchem Land? | – | – |
| 3. | In welcher Stadt wohnt die Gastfamilie? | – | – |
| 4. | Welche Gastgeschwister? | – | – |
| 5. | Wie ist das Essen? | – | – |
| 6. | Was war am Anfang schwer? | – | – |

½ + ½
½ + ½
½ + ½
½ + ½
½ + ½

___/5

**3** Lies den Bericht von Felix und kreuze an: richtig oder falsch?

Kennt ihr Málaga? Hier machen viele Leute Urlaub, aber ich war ein Jahr lang als Austausch-schüler hier. Málaga liegt ganz im Süden von Spanien, direkt am Meer. Ich war bei einer Gast-familie und hatte drei Gastgeschwister: meinen Gastbruder Pablo und seine Schwestern Olga und Elena. Wir haben uns nie genervt, sondern immer super verstanden. Pablo und ich sind auch in eine Klasse gegangen.

Natürlich habe ich viel Spanisch gelernt. Pablos Eltern und Geschwister sprechen kein Deutsch, deshalb haben wir in der Familie immer Spanisch gesprochen. Nur wenn Pablo und ich nicht wollten, dass seine Schwestern uns verstehen, haben wir Deutsch geredet.

Zuerst war natürlich alles auch ein bisschen kompliziert für mich: die andere Sprache, das spanische Essen, eine neue Familie … Die Stadt ist auch viel lauter und weil die Leute bis spät abends auf der Straße sind, habe ich oft lange wach im Bett gelegen. Aber nach ein paar Wochen war das alles dann ganz normal. Meine Zeit in Málaga war eine super Erfahrung!

| | richtig | falsch |
|---|---|---|
| 1. Felix war in Spanien im Urlaub. | ☐ | ☒ |
| 2. Felix hat sich bei seiner Gastfamilie wohlgefühlt. | ☐ | ☐ |
| 3. Zu Hause hat Felix mehr Deutsch als Spanisch gesprochen. | ☐ | ☐ |
| 4. Olga und Elena verstehen Deutsch sehr gut. | ☐ | ☐ |
| 5. Am Anfang waren viele Sachen neu für Felix. | ☐ | ☐ |
| 6. Felix konnte schlecht einschlafen. | ☐ | ☐ |

1
1
1
1
1
___/5

**4** Ergänze die Pronomen in der Postkarte von Julie.

viele • viele • manche • ~~Alle~~ • alle • niemand

Hallo Lea,

hier in den USA ist es super! _Alle_ (1) Leute wollen wissen, woher ich komme. Aus

meiner Klasse sind _____ (2) Schüler auch schon mal in Deutschland gewesen,

aber die meisten kennen Deutschland nicht. Und in Bremen war noch _____ (3).

☹ Aber ich habe _____ (4) Fotos, die kann ich zeigen! ☺

Bis bald, bye bye und _____ (5) Grüße an _____ (6) Freunde!

Deine Julie

1
1
1
1+1

___/5

**5** Was möchte Marc von seinem Gastbruder Kai wissen? Schreib indirekte Fragen.

1. Wann stehst du auf?

2. Wie viele Geschwister hast du?

3. Sprichst du einen Dialekt?

4. Welche Hobbys hast du?

5. Machst du viel Sport?

6. Wo ist die Schule?

1. Marc fragt, _wann Kai aufsteht._ _____

2. Er möchte wissen, _____

3. Er fragt auch, _____

4. _____

5. _____

6. _____

1
1
1
1
1

___/5

**6** Lies Mareikes Brief und antworte mit einem Brief (mindestens 50 Wörter). Schreib zu jeder Frage ein bis zwei Sätze.

Regensburg, 14. Juli

Hallo …,

bald komme ich ja als Austauschschülerin zu dir in die Klasse! Ich freue mich schon sehr! Aber ich bin auch ein bisschen nervös und habe viele Fragen: Wer gehört zu deiner Familie? Was sind deine Hobbys? Was ist typisch in deinem Land? Gibt es ein typisches Essen? Wie ist die Schule?
Bitte schreib mir schnell!
Deine Mareike
P.S.: Was soll ich dir aus Deutschland mitbringen? Du darfst dir was wünschen! ☺

_____ , _____

_____

_____

_____

_____

_____

_____

_____

_____

½
1
1
1
1
1
1
½

___/7

**Meine Bewertung**

**Punkte**

☺ ☺ ☹

_____ /30

# Sp

## Tests Sprechen

**Test 1:** Nimm ein Kärtchen und erzähle von einer Klassenfahrt: Wo wart ihr? Was habt ihr gemacht? Verwende viele verschiedene Verben.

1
1
1
1
1
1

**Berlin**
– Museum
– Musik
– Kaufhaus
– Currywurst
– Regen

**München**
– Hotel
– Disco
– Spaghetti
– Fotos
– Geschenk

*Wir waren in …*
*Wir haben … /*
*Ich habe …*

___/6

**Test 2:** Erzähle etwas über deinen besten Freund / deine beste Freundin.

| Name? |
|---|
| Alter? |
| Wo kennengelernt? |
| Was macht ihr zusammen? |
| Warum ist er/sie dein bester Freund / deine beste Freundin? |

1

1

1

1

1+1

*Mein bester Freund …*
*Er ist …*

___/6

**Test 3:** Nimm drei Kärtchen. Stelle je eine Frage zum Thema auf den Kärtchen. Antworte auch auf drei Fragen.

| Thema: Sport | Thema: Sport | Thema: Sport |
|---|---|---|
| **Was …?** | **Wo …?** | **Wann …?** |
| Thema: Sport | Thema: Sport | Thema: Sport |
| **Wie oft …?** | **Warum …?** | **Wie lange …?** |

1+1+1   Frage

*Was ist dein Lieblingssport?*

*Ich spiele gern Volleyball.*

1+1+1   Antwort

___/6

**Sp**

**Test 4: Nimm drei Kärtchen. Stelle drei Fragen und antworte auch auf drei Fragen.**

| | | |
|---|---|---|
| **gefallen** <br> **rot** | **finden** <br> **kariert** | **kosten** <br> **schwarz** |
| **kaufen** <br> **eng** | **leihen** <br> **schick** | **mögen** <br> **bequem** |

*Passt mir der einfarbige Rock?*  *Ja, der passt gut.*

Frage   3 x 1

Antwort   3 x 1

___/6

**Test 5: Thema *Wohnen*. Stelle drei Fragen. Dein Partner / Deine Partnerin antwortet mit ein bis zwei Sätzen. Dann fragt dein Partner / deine Partnerin und du antwortest.**

Wo?  →  (Stadt/Land/Haus/...)

Zimmer?  →  ...

Lieblingsplatz?  →  ...

1

1

1

1

1

1

___/6

**Test 6: Nimm ein graues und ein weißes Kärtchen. Stelle zwei Fragen mit *wenn* und antworte auf zwei *wenn*-Fragen.**

| | | | |
|---|---|---|---|
| **gut drauf sein** | **gute Laune haben** | **traurig sein** | **glücklich sein** |
| **sich schlecht fühlen** | **sich ärgern** | **sich wohlfühlen** | **sich streiten** |

*Was machst du, wenn ...?*  *Wenn ..., dann ...*

Frage   2 x 1 ½

Antwort   2 x 1 ½

___/6

**Test 7: Nimm drei Kärtchen. Was sagst oder fragst du in der Situation? Dein Partner / Deine Partnerin reagiert.**

| 1+1+1 | Frage |
| 1+1+1 | Reaktion |
| ___/6 | |

> Hm!
> Magst du Eis?

> Eis? Nein, das ist
> mir zu süß!

**Test 8: Nimm drei Kärtchen. Stelle je eine Frage zum Thema auf den Kärtchen. Antworte auch auf drei Fragen.**

| Thema: lesen | Thema: lesen | Thema: Freizeit |
|---|---|---|
| **Was ...?** | **Wann ...?** | **Wen ...?** |
| Thema: lesen | Thema: Freizeit | Thema: Freizeit |
| **Wie oft ...?** | **Was ...?** | **Wo ...?** |

| 1+1+1 | Frage |
| 1+1+1 | Antwort |
| ___/6 | |

> Was liest du
> gern?

> Ich lese gern
> Comics.

**Test 9: Spiel zwei Dialoge mit einem Partner / einer Partnerin. Einmal beginnst du, einmal beginnt dein Partner / deine Partnerin.**

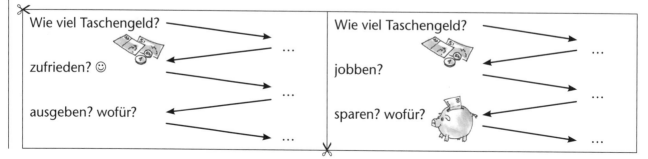

| 1 | Wie viel Taschengeld? ... |
| 1 | |
| 1 | zufrieden? ☺ ... |
| 1 | |
| 1 | ausgeben? wofür? ... |
| 1 | |
| ___/6 | |

Wie viel Taschengeld? ...

jobben? ...

sparen? wofür? ...

**Test 10: Nimm drei Kärtchen. Stelle je eine Frage zum Thema auf den Kärtchen.
Antworte auch auf drei Fragen.**

| Thema: Feste | Thema: Feste | Thema: Feste | Thema: Wetter |
|---|---|---|---|
| **Was ...?** | **Wann ...?** | **Wo ...?** | **Wie ...?** |
| Thema: Feste | Thema: Feste | Thema: Wetter | Thema: Wetter |
| **Wie ...?** | **Mit wem ...?** | **Wann ...?** | **Wohin ...?** |

*Was machst du an Weihnachten?*

*An Weihnachten ist die ganze Familie zusammen. Wir haben einen Weihnachtsbaum und ...*

Frage        1+1+1

Antwort      1+1+1

___/6

**Test 11: Erzähle von einem Film.**

| **Name?** |
|---|
| **Ort?** |
| **Hauptfigur?** |
| **Was passiert?** |
| • Am Anfang ... |
| • Dann ... |
| • Zum Schluss ... |

*Der Film heißt ...
Er spielt in ...*

1

1

1

1

1

1

___/6

**Test 12: Nimm zwei Kärtchen. Sprich mit zwei Partnern/Partnerinnen.
Stelle B eine Frage. B fragt nach. C wiederholt deine Frage als indirekte Frage.
Dann antwortet B. Einmal beginnst du, einmal B, einmal C.**

| **Bahnhof?** | **Uhrzeit?** | **Eis / €?** |
|---|---|---|
| | | |
| **Lehrer/in?** | **Currywurst?** | **Wetter?** |
| | | |

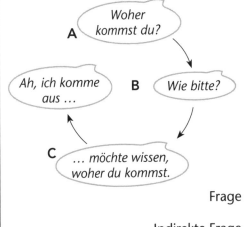

A *Woher kommst du?*

B *Wie bitte?*

*Ah, ich komme aus ...*

C *... möchte wissen, woher du kommst.*

Frage              1+1

Indirekte Frage    1+1

Antwort            1+1

___/6

## Modelltest „Fit in Deutsch 2"

# Hören

*Dieser Test hat zwei Teile. **Lies** zuerst die Aufgaben, **höre** dann den Text dazu. Schreibe am Ende deine Lösungen auf den **Antwortbogen.***

22–25

### Teil 1

*Du hörst **drei** Mitteilungen für Jugendliche im Radio.*
*Zu jeder Mitteilung gibt es Aufgaben. Kreuze an:* a , b *oder* c *. Du hörst jede Mitteilung **zweimal.***

**Beispiel**

**0**   „Radio Hip" …

a ist für Jugendliche aus München.

☒ kann man immer montags hören.

c spielt vor allem Musik.

*Lies die Aufgaben 1, 2 und 3.*

**1**   Viele Jugendliche …

a denken über Taschengeld anders als ihre Eltern.

b sind mit ihrem Taschengeld zufrieden.

c geben zu viel Geld für ihr Handy aus.

**2**   So verdienen Jugendliche Geld:

a Sie helfen ihren Eltern.

b Sie helfen anderen Leuten.

c Sie jobben im Kino.

**3**   Bei „Radio Hip" …

a kann man als Schüler arbeiten.

b kann man anrufen und seine Meinung sagen.

c bekommt man Spartipps.

*Jetzt hörst du die **erste** Mitteilung.*
*Du hörst jetzt diese Mitteilung **noch einmal**. Markiere **dann** die Lösung zu Aufgabe 1, 2 und 3.*
*Lies die Aufgaben 4, 5 und 6.*

**4**   In dem Projekt …

a kochen Schüler und Eltern zusammen.

b lernen Schüler kochen.

c gibt es vor allem Pfannkuchen und Pizza.

**5**   Zum Schluss …

a kochen alle Fleisch und Gemüse.

b gibt es ein Essen für alle Lehrer.

c haben die Schüler Gäste.

**6**   Andere Schulfächer …

a helfen, wenn man kochen will.

b sind genauso wichtig wie Kochen.

c waren in dieser Woche nicht wichtig.

*Jetzt hörst du die **zweite** Mitteilung.*
*Du hörst jetzt diese Mitteilung **noch einmal**. Markiere **dann** die Lösung zu Aufgabe 4, 5 und 6.*

*Lies die Aufgaben 7, 8 und 9.*

**7** Was soll man fotografieren?

    a | Das eigene Zimmer.

    b | Das Haustier.

    c | Den Lieblingsplatz.

**8** Wer darf mitmachen?

    a | Jugendliche bis 17 Jahre.

    b | Jugendliche und ihre Eltern.

    c | Junge Leute zwischen 16 und 18 Jahren.

**9** Wo kann man die Fotos später sehen?

    a | In einem Buch.

    b | In Berlin.

    c | Im Internet.

*Jetzt hörst du die **dritte** Mitteilung.*
*Du hörst jetzt diese Mitteilung **noch einmal**. Markiere **dann** die Lösung zu Aufgabe 7, 8 und 9.*

## Teil 2

26–28

*Du hörst ein Gespräch zwischen zwei Jugendlichen.*
*Zu dem Gespräch gibt es Aufgaben. Kreuze an: richtig oder falsch. Das Gespräch hörst du **zweimal**.*

**Beispiel**

**0** Fabians Handy hat nicht funktioniert.     ~~richtig~~    falsch

*Du hörst das Gespräch **in zwei Teilen**. Lies die Sätze 10–14.*

**10** Jan und Lena treffen sich jede Woche.     richtig    falsch

**11** Die Klasse hat in Berlin im Zentrum gewohnt.     richtig    falsch

**12** Im Zug haben die Schülerinnen Karten gespielt.     richtig    falsch

**13** Normalerweise geht Lena nicht so gern ins Museum.     richtig    falsch

**14** Lena hat im Zoo Fotos gemacht.     richtig    falsch

*Jetzt hörst du den **ersten Teil** des Gesprächs.*
*Du hörst den ersten Teil des Gesprächs **noch einmal**. Markiere **dann** für die Sätze 10–14: richtig oder falsch.*
*Lies die Sätze 15–20.*

**15** Lena hat einen eigenen Computer.     richtig    falsch

**16** Robby kann gut Karten spielen.     richtig    falsch

**17** Anja war krank und konnte nicht zu Robbys Party kommen.     richtig    falsch

**18** Jan hat noch nie ein Ampelmännchen gesehen.     richtig    falsch

**19** Lena hat in Berlin ein Ampelmännchen gekauft.     richtig    falsch

**20** Jan kennt Wien noch nicht.     richtig    falsch

*Jetzt hörst du den **zweiten Teil** des Gesprächs.*
*Du hörst den zweiten Teil des Gesprächs **noch einmal**. Markiere **dann** für die Sätze 15–20: richtig oder falsch.*
*Schreibe jetzt deine Lösungen 1–20 auf den **Antwortbogen**.*

# Lesen

*Dieser Test hat drei Teile. In diesem Prüfungsteil findest du Anzeigen, Briefe und Artikel aus der Zeitung. Zu jedem Text gibt es Aufgaben. Schreibe am Ende deine Lösungen auf den **Antwortbogen**. Wörterbücher sind **nicht** erlaubt.*

## Teil 1

*Lies bitte die zwei Anzeigen.*

**Anzeige 1**

Wir, die Klasse 10a, machen am Samstag auf dem **Schulfest** einen **Benefiz-Flohmarkt** und suchen noch Klamotten!
Wenn dir, deinen Eltern oder Geschwistern ein Rock, eine Hose oder ein buntes Kleid nicht mehr passt, bring es uns bis Mittwoch! Unser Klassenzimmer ist im zweiten Stock, direkt neben dem Musikraum. Wichtig ist, dass die Kleider sauber und nicht kaputt sind. Bücher und Comics nehmen wir auch gerne.

Das Geld ist für unsere Partnerschule in Ecuador. Letztes Jahr haben wir 600 Euro für die Jugendlichen dort verdient!
Wir hoffen, dass es dieses Jahr noch mehr wird!

**Anzeige 2**

### Was sind deine Sommerpläne?

Machst du im Sommer einen Schüleraustausch oder eine Reise ins Ausland? Super! In Fremdsprachen kannst du aber auch hier besser werden. Wenn du älter als 14 und noch nicht 18 bist, nimm im Juli an einem unserer Kurse teil! Die Lehrer kommen aus England, Frankreich,  Italien und Spanien, haben viel Erfahrung und unterrichten in ihrer Muttersprache.

**Unser Programm findest du im Internet oder ruf uns an:** Von 9 bis 12 Uhr, mittwochs bis 14 Uhr, sind wir am Telefon für dich da: 0721/321320.

*Fragen 1–6: Markiere bitte die Lösung mit einem Kreuz.*

### Anzeige 1

**0** Die Klasse 10a organisiert
    [a] ein Schulfest.
    [b] Kleider für Ecuador.
    [☒] einen Flohmarkt.

**1** Man soll Kleider und Bücher …
    [a] am Samstag zum Flohmarkt mitbringen.
    [b] bei der Klasse 10a abgeben.
    [c] bis Mittwoch in den Musikraum bringen.

**2** Die Kleider …
    [a] sollen bunt sein.
    [b] dürfen nicht dreckig sein.
    [c] sollen Jugendlichen passen.

**3** Die Schüler wollen …
    [a] 600 Euro verdienen.
    [b] ihre Partnerschule besuchen.
    [c] anderen Jugendlichen helfen.

### Anzeige 2

**4** Das ist eine Anzeige für …
    [a] Sprachkurse.
    [b] eine Reise.
    [c] einen Austausch.

**5** Die Lehrer …
    [a] sprechen viele Fremdsprachen.
    [b] unterrichten schon lange.
    [c] sind 14 bis 18 Jahre alt.

**6** Mehr Informationen bekommt man …
    [a] täglich bis 14 Uhr.
    [b] nur im Internet.
    [c] am Vormittag am Telefon.

M

## Teil 2

*In einer deutschen Jugendzeitschrift findest du zwei Briefe von Lesern an Frau Dr. Sanft, Psychologin.*

**Leserbrief 1**

Liebe Frau Dr. Sanft,

seit einem Monat leben wir in Köln, denn mein Vater hat hier eine neue Arbeit gefunden. Meine Eltern und Leo, mein Bruder, sind zufrieden, nur ich habe ein Problem: In meiner alten Schule war ich beliebt, aber hier finde ich einfach keine Freunde. Die Jungen aus meiner Klasse sprechen fast nicht mit mir und sie interessieren sich auch für ganz andere Dinge.

In der Klasse von meinem Bruder ist das nicht so. Seine Mitschüler sind supernett und kommen auch oft zu uns nach Hause und wir spielen dann alle zusammen Karten oder gehen auf den Fußballplatz. Aber sie sind erst dreizehn so wie mein Bruder und ich werde schon bald sechzehn. Ich möchte Freunde in meinem Alter finden. Was kann ich tun? Haben Sie eine gute Idee?

Manuel

**Leserbrief 2**

Liebe Frau Dr. Sanft,

eigentlich habe ich mich immer sehr gut mit meinen Eltern verstanden. Aber vor einem Monat bin ich fünfzehn geworden und jetzt streiten wir uns die ganze Zeit. Wenn meine Freunde und ich am Wochenende in die Disco gehen, dürfen alle bis zwölf Uhr bleiben. Nur ich muss schon um elf zu Hause sein.

Und dann ist da noch mein Bruder Carlo. Er ist auch erst sechzehn. Aber meine Eltern sagen gar nichts, wenn er auf einer Party übernachten oder in ein Konzert gehen will. Und ich bekomme keine Erlaubnis! Dabei habe ich viel bessere Noten als er. Trotzdem denken meine Eltern, dass sie sich nicht auf mich verlassen können. Was soll ich tun? In der Schule lachen jetzt schon alle über mich, weil ich nicht lange ausgehen darf.

Lea

*Fragen 7 bis 16: Was ist richtig und was ist falsch?*

**Leserbrief 1**

**0** Manuel wohnt noch nicht lange in Köln. ~~richtig~~ | falsch

**7** Die Eltern haben Probleme in Köln. richtig | falsch

**8** Manuel hatte früher mehr Freunde als jetzt. richtig | falsch

**9** Manuel fühlt sich in seiner Klasse wie ein Außenseiter. richtig | falsch

**10** Manuel und sein Bruder gehen in die gleiche Klasse. richtig | falsch

**11** Manuel ist 15 Jahre alt. richtig | falsch

**Leserbrief 2**

**12** Lea und ihre Eltern haben früher oft gestritten. richtig | falsch

**13** Leas Freunde müssen erst nach 23 Uhr nach Hause. richtig | falsch

**14** Carlo darf mehr als Lea. richtig | falsch

**15** Lea ist in der Schule nicht so gut wie Carlo. richtig | falsch

**16** Lea glaubt, ihre Eltern vertrauen ihr nicht. richtig | falsch

## Teil 3

*In einer deutschen Jugendzeitschrift findest du diesen Artikel.*

### Jugendliche klären Diebstahl

Berlin, 8. August

Viele Jugendliche finden den Sportplatz oder das Schwimmbad viel interessanter als ein Museum. Aber bei ihrer Klassenfahrt nach Berlin hat die Klasse 10b aus Stuttgart erfahren, dass ein Besuch im Museum ganz besonders spannend sein kann. Und das ist an diesem Donnerstag-morgen passiert:

„Unser Lehrer hat uns gerade etwas erklärt und ich habe aber nur halb zugehört", erzählt Lukas Meyer (15), „und da habe ich gesehen, wie eine Person ganz schnell die Treppe runtergelaufen ist. Es war ein Mann mit kurzen blonden Haaren und einer grünen Jacke und er hat etwas in seine Tasche gesteckt. Zuerst habe ich nicht viel darüber nachgedacht", erklärt Lukas weiter, „aber später, so gegen 12 Uhr, ist der Museumsdirektor zu uns gekommen. Er hat gesagt, dass jemand am Morgen wertvolle Silber- und Goldmünzen gestohlen hat. Er wollte wissen, ob wir etwas gesehen haben."

Lukas hat ihm sofort von dem verdächtigen Mann in der grünen Jacke erzählt. Der Direktor wollte wissen, wann das war, und Lukas musste den Mann ganz genau beschreiben. Noch am Donnerstagabend hat der Museumsdirektor den Lehrer angerufen. Weil Lukas den Mann so gut

beschrieben hat, konnte die Polizei den Dieb ganz schnell finden. Er hatte drei antike Münzen bei sich. Die Polizei und das Museum haben natürlich gefeiert. „Und wir haben ganz viele Interviewfragen be-antwortet und waren sogar im Fernsehen. Das war ziemlich aufregend!", erzählt Klaus, ein Mitschüler von Lukas. „Wenn wir das nächste Mal nach Berlin kommen, dürfen wir alle Museen gratis besuchen!" Und unser Held heißt jetzt bei seinen Mitschülern nur noch „der Detektiv".

*Antworte auf die Fragen 17 bis 20 mit wenigen Wörtern.*

**Beispiel**

**0**  Wohin ist die Klasse 10b gefahren?  *Nach Berlin.*

**17**  Wann war die Klasse im Museum?  _____

**18**  Wer hat der Klasse vom Diebstahl erzählt?  _____

**19**  Was hat der Täter gestohlen?  _____

**20**  Was war aufregend für Klaus?  _____

*Schreibe jetzt deine Lösungen 1 bis 20 auf den **Antwortbogen**.*

# Schreiben

*In diesem Prüfungsteil findest du eine Anzeige. Schreibe bitte einen Brief. Schreibe deinen Text auf ein **Blatt Papier** und bitte **nicht** mit Bleistift. Wörterbücher sind **nicht** erlaubt.*

*Du bist in Deutschland und liest folgende Anzeige:*

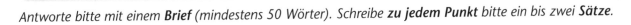

**Was ist dein Talent?**

Wir, die Schüler aus der Klasse 10d, organisieren eine internationale Talentshow und suchen noch Kandidaten. Hast du Lust und bist zwischen 14 und 18 Jahre alt? Die Talentshow ist zwar erst in zwei Monaten, aber wir müssen natürlich auch üben. Wann hast du Zeit? Bitte schreib an Olaf, Klasse 10d, Töpfer-Gymnasium, Bonn.

*Antworte bitte mit einem **Brief** (mindestens 50 Wörter). Schreibe **zu jedem Punkt** bitte ein bis zwei **Sätze**.*

**1**   Stell dich bitte vor (Name, Alter, Land).

**2**   Welche Hobbys und Talente hast du?

**3**   Wie lange bist du schon in Deutschland?

**4**   Wann und wo kannst du Olaf und die anderen treffen?

# Sprechen

*Dieser Test hat drei Teile. **Sprich** bitte mit deiner Partnerin / deinem Partner.*

## Teil 1   Sich vorstellen.

| |
|---|
| **Name?** |
| **Alter?** |
| **Land?** |
| **Wohnort?** |
| **Schule?** |
| **Sprachen?** |
| **Hobby?** |

Ich heiße …
Ich bin …

## Teil 2  Fragen stellen und auf Fragen antworten.

| Thema: Ferien |
|---|
| *Beispielkarte* |
| **Wo ...?** |

*Wo warst du im Urlaub?*

*Ich war in den Bergen.*

| Thema: Ferien | Thema: Ferien | Thema: Ferien | Thema: Ferien |
|---|---|---|---|
| **Was ...?** | **Wem ...?** | **Mit wem ...?** | **Wie oft ...?** |

| Thema: Ferien | Thema: Ferien | Thema: Ferien | Thema: Ferien |
|---|---|---|---|
| **Wann ...?** | **Wohin ...?** | **Wie lange ...?** | **Warum ...?** |

## Teil 3  Auf eine vorgegebene Situation sprachlich reagieren.

| *Beispielkarte* |
|---|
|  |

*Möchtest du ein Eis essen gehen?*

# Lösungen

## Test 1

1 richtig: 2, 6; falsch: 3, 4, 5

2 2c, 3e, 4f, 5b, 6g

3 2. Jugendhotel; 3. Frühstücksbuffet; 4. Hotel-küche; 5. Partyraum; 6. Internetzugang; 7. kostenlos; 8. Gepäck; 9. mehrsprachig; 10. Informationen; 11. Hotel-Website

4 2. meinen; 3. meine; 4. deinen

5 2. gewohnt; 3. besucht; 4. fotografiert; 5. geschmeckt; 6. geregnet; 7. kennengelernt; 8. getanzt

6 2. Sandra und ich haben am Freitag für die Party eingekauft. 3. Die Gäste haben Sandra gratuliert. 4. Dann hat Sandra ihre Geschenke ausgepackt. 5. Am Abend haben wir Spaghetti gekocht. 6. Wir haben viel gelacht.

## Test 2

1 A1, 5; B3, 6; C4; D2

2 2c, 3b, 4c

3 richtig: 2, 4, 5, 6; falsch: 3, 7

4 1. mir; 2. ihr; 3. euch, uns; 4. dir; 5. ihnen; 6. ihm, mir

5 2. …, weil sie mutig und zuverlässig ist. 3. …, weil er immer die Wahrheit sagt. 4. …, weil er gut zuhören kann.

6 2. haben; 3. sind; 4. bin; 5. sind; 6. Bist; 7. bin; 8. habt; 9. haben

7 (Vorschlag) 2. Dann hat er eine Stunde Fußball gespielt. 3. Um 17 Uhr ist er wieder nach Hause gekommen. 4. Dann hat er eine Pizza gegessen. 5. Danach hat er seinen Freund Paul angerufen. 6. Am Abend hat er eine Stunde ferngesehen.

## Test 3

1 (Vorschlag)

|  | Welche Sport-art? | Warum? | Wie oft in der Woche? |
|---|---|---|---|
| 1. Eva | – Reiten/reitet | – liebt Pferde/ Pferde sind süß | – 3 Stunden |
| 2. Helmut | – Joggen/joggt – Schwimmen/ schwimmt | – fit bleiben | – zweimal – eine Stunde |
| 3. Felix | – Basketball/ spielt Basket-ball | – Freunde treffen / trifft Freunde | – 5 Stunden |

2 2. 4. Oktober; 3. 18. Juni; 4. 23. September

3 richtig: 2, 4; falsch: 3, 5, 6

4 (Vorschlag)
Hallo Karin,
ich finde Volleyball am besten, weil das ein Teamsport ist und ich meine Freunde treffe. Wir spielen Volleyball in der Halle oder auf dem Platz. Wir brauchen nur einen Ball und Sportschuhe.
Viele Grüße
…

5

|   |   |   |   | H |   |   |   |   |   |   |   |   |   |   |   |   |   |   |   |
|---|---|---|---|---|---|---|---|---|---|---|---|---|---|---|---|---|---|---|---|
| B | A | L | L | E | T | T | O |   | I | N | L | I | N | E | S | K | A | T | E | N |
| O |   |   |   | C |   |   |   |   |   |   |   |   |   |   |   |   |   |   |   |
| X |   |   |   | K |   | S | K | I | F | A | H | R | E | N |   |   |   |   |   |
| E |   |   |   | E |   | T | I | S | C | H | T | E | N | N | I | S |   |   |   |
| N | V | O | L | L | E | Y | B | A | L | L |   |   |   |   |   |   |   |   |   |

6 2. siebten; 3. neunzehnten; 4. einunddreißigste

7 2. Paul ist älter als Robby. Aber Felix ist am ältesten / der Älteste. 3. Felix ist größer als Robby. Aber Paul ist am größten / der Größte. 4. Robby ist lustiger als Paul. Aber Felix ist am lustigsten / der Lustigste.

## Test 4

1 richtig: 3, 6; falsch: 2, 4, 5

2 2. Supermarkt; 3. Markt; 4. Kiosk

3 2a, 3b, 4c

4 2e, 3h, 4k, 5i, 6b, 7f, 8c, 9j, 10g, 11d

5 2. alte; 3. langen; 4. rotes; 5. grünen; 6. blaue; 7. altmodischen; 8. bunte; 9. alten; 10. karierte; 11. großen

6 2. rote, das; 3. tolle, Die; 4. bunte, den; 5. süße, Die; 6. blauen, der

7 2. Niko denkt, dass schicke Klamotten teuer sind. 3. Peter findet, dass Shoppen langweilig ist. 4. Max sagt, dass Einkaufen Spaß macht. 5. Laura erzählt, dass sie ein Modefreak ist.

## Test 5

1 2b, 3a, 4c

2 2. der Teppich; 3. die Katze; 4. das Poster; 5. der Sessel; 6. der Fernseher

3 richtig: 2, 5; falsch: 3, 4, 6

4 2. Treppe; 3. Arbeitszimmer; 4. Laptop; 5. Lieblingsplatz; 6. Badewanne; 7. Fenster; 8. Keller; 9. Schlagzeug

5 2. steht neben dem Sofa. 3. liegt unter dem Sofa. 4. hängen an der Wand. / über dem Sofa. 5. liegen auf dem Boden. / vor dem Sofa.

**6** 2. Er stellt das Skateboard in den Flur.  3. Er hängt das Bild an die Wand.  4. Er stellt/legt die Sportschuhe in/unter/neben den Schrank.  5. Er legt/stellt die Bücher ins / in das Bücherregal.

**7** (Vorschlag)
1. Meine Familie und ich wohnen in der Stadt.
2. Das finde ich super, weil meine Freunde in der Nähe wohnen. Aber die Stadt ist auch sehr laut. Das mag ich nicht.  3. Mein Zimmer ist groß und sehr schön.  4. Ich habe ein Bett, einen Schreib- tisch … / Unter dem Fenster steht … / In der Ecke ist …  5. Das Sofa im Wohnzimmer ist mein Lieblingsplatz.

## Test 6

**1** 2c, 3a, 4c, 5b, 6a

**2** richtig: 2, 4, 6; falsch: 3, 5

**3** 2. c/g, 3. e/j, 4. b/d, 5. h/i

**4** 2. mich;  3. sich;  4. euch;  5. sich;  6. uns

**5** 2. wollen;  3. sollen;  4. musst;  5. Kann; 6. möchte

**6** 2. Wenn ich Geburtstag habe, lade ich meine Freunde ein.  3. Wenn ich traurig bin, muss ich manchmal weinen.  4. Wenn ich Ferien habe, fahren meine Eltern und ich ans Meer.  5. Wenn meine Freunde keine Zeit haben, gehe ich allein joggen.

## Test 7

**1** richtig: 3, 4, 6; falsch: 2, 5

**2** 2. 500 Gramm/g;  3. Karotten;  4. Gurke; 5. (frische) Pilze;  6. Löffel;  7. Zitrone;  8. Salz; 9. Pfeffer

**3** (Vorschlag)
2. Sie frühstücken nicht richtig. / zu wenig. / nicht gesund.  3. Brot mit Marmelade, Käse oder Wurst (Obst).  4. Zwei Wochen (lang).  5. Sie wollen jeden Donnerstag / einmal pro Woche zusammen frühstücken.

**4** 2. die Melone;  3. die Paprika;  4. das Mehl; 5. die Kartoffel;  6. der Joghurt;  7. das Würstchen / die Wurst;  8. der Kaugummi

**5** 2. seit;  3. bei;  4. von;  5. aus;  6. mit;  7. nach; 8. zu;  9. nach

**6** 2. unseren;  3. seiner;  4. ihrer;  5. deinem; 6. euren;  7. ihrem

## Test 8

**1** A: 2, 4, 5;  B: 3, 6

**2** 2c, 3b, 4b, 5a

**3** 2C, 3A, 4C, 50, 6B

**4** 2. Woher?;  3. Wen?;  4. Wohin?;  5. Wann?; 6. Was?;  7. Wo?;  8. Warum?;  9. Wem?

**5** 2. konnte/durfte;  3. wollten;  4. hatte; 5. sollte/musste;  6. war;  7. durften/konnten; 8. mussten/sollten

**6** (Lösungsvorschlag)
Liebe Leseratten / Liebe Projektgruppe,
ich heiße … Ich bin … Jahre alt und komme aus … / wohne in … Ich lese gern Krimis. Im Moment lese ich einen spannenden Krimi von … Wenn ich das Buch mag, lese ich jeden Tag eine Stunde oder länger. Am liebsten lese ich abends im Bett. Das ist so gemütlich!
Viele Grüße
Urs

## Test 9

**1** richtig: 3, 6; falsch: 2, 4, 5

**2** 2c, 3c, 4a, 5b, 6a

**3** 2. die Geldkarte;  3. kosten;  4. ausgeben; 5. die Währung;  6. das Gehalt;  7. verdienen

**4** 2c, Wofür;  3d, Wofür;  4a, Für wen;  5b, Wofür

**5** 2. am;  3. von;  4. bis;  5. seit;  6. nach;  7. um

**6** 2. …, damit er Geld für seine Hobbys hat. 3. …, damit sie nicht nach Geld fragen muss. 4. …, damit er am Monatsende nicht pleite ist.

**7** 2. …, trotzdem habe ich Geld für Hobbys. 3. …, trotzdem war ich nicht auf seiner Party. 4. …, trotzdem hatte ich viel Spaß. 5. …, trotzdem reicht es oft nicht.

## Test 10

**1** richtig: 3, 4; falsch: 2, 5, 6

**2**

|  | ⛈ | ☁ | ☁ | ☀ | 🌡 | 🌡 |
|---|---|---|---|---|---|---|
| Süden |  | x |  |  | x |  |
| Norden |  |  |  | x |  | x |
| Osten |  |  | x |  |  | x |
| Westen | x | x |  |  |  |  |

**3** 2d, 3h, 4a, 5b, 6g

**4** 3. wir schreiben jetzt ∩;  4. fahre;  5. sind; 6. Hast;  7. wenn du willst. ∩;  8. Schreib

**5** 2. Es ist sonnig. / Die Sonne scheint.  3. Es regnet.  4. Es blitzt und donnert. / Es gibt ein Gewitter.  5. Es ist windig.  6. Es schneit. / Es gibt Schnee.

**6** 2. …, sondern im August.  3. …, sondern auch der 26. Dezember.  4. …, sondern das Neujahrsfest.  5. …, sondern auch im Norden.

**7** (Vorschlag)
Liebe Ruth,
viele Grüße aus Italien! Ich bin hier am Meer.
Das Wetter ist ganz super. Die Sonne scheint
immer und es sind fast 30 Grad! Wir gehen
jeden Tag zum Strand und ich schwimme ganz
viel. Und abends gibt es manchmal eine Disco!
Das Essen ist auch gut. Pizza und Spaghetti!
Einfach lecker!
Bis bald! Liebe Grüße
Bea

## Test 11

**1** 2. Sie hat schon ein Kostüm genäht. 3. Aber
seine Freunde sagen, dass er ein guter Moderator ist. 4. Seine Familie findet das super. / Renés
Eltern können bestimmt nicht zusehen. 5. Sie
hat schon oft an einem Wettbewerb teilgenommen. / Sie ist sehr nervös, weil ihre Freunde
zusehen.

**2** 2. Die Schüler haben eine Talentshow organisiert. / Die Talentshow. 3. Jugendliche, Eltern
und Lehrer. / Alle. 4. Um 20 Uhr. 5. Sie haben
(Karaoke/Lieder) (nach)gesungen. 6. Für
Bäume. / Für Bäume auf dem Schulhof.

**3** 2. Welcher; 3. Welches; 4. Welche; 5. welchem;
6. welcher

**4** 2. wirst; 3. werde; 4. werdet; 5. werden

**5** 2a, 3a, 4b, 5a, 6b, 7b, 8b, 9a, 10b, 11b

**6** (Vorschlag)
Am Samstag war eine Talentshow in der Schule.
Julius jongliert super, deshalb wollte er mitmachen. Aber drei Tage vor der Show hatte er einen
Unfall und musste zu Hause bleiben. Zuerst war
er sehr traurig, aber dann hatten seine Freunde
eine Idee. Sie haben ein Video von Julius ge-
dreht. Und Julius hat gewonnen!

## Test 12

**1** 2b, 3b, 4c

**2** Ludmilla: 2. Russland; 3. Frankfurt; 4. eine Gastschwester / eine Schwester / Laura; 5. nicht so
gut / langweilig; 6. (der) Dialekt / (die) Sprache
Roberto: 2. Ecuador; 3. Kassel; 4. zwei Gastbrüder / zwei Brüder / Jan und Steffen; 5. (sehr)
lecker; 6. Müll (sortieren)

**3** richtig: 2, 5, 6; falsch: 3, 4

**4** 2. manche; 3. niemand; 4. viele; 5. viele; 6. alle

**5** 2. …, wie viele Geschwister er/Kai hat. 3. …,
ob er/Kai einen Dialekt spricht. 4. Er will wissen,
welche Hobbys er/Kai hat. 5. Er fragt sich, ob er/
Kai viel Sport macht. 6. Er weiß nicht, wo die
Schule ist.

**6** (Vorschlag)

Ort, Datum

Liebe Mareike,
schön, dass du bald zu uns kommst! Zu meiner
Familie gehören meine Eltern, meine Schwester
Carol und natürlich ich. Ich spiele gern Gitarre.
Ich liebe Musik! Hier machen die Leute viel
Sport. Ein typisches Essen sind Hamburger, aber
ich esse auch sehr gern Pizza. Meine Schule ist
ganz modern und die Lehrer sind okay. Kannst
du mir eine CD mit deutscher Musik mitbringen?
Bis bald, dein/deine …

## Tests Sprechen

### Test 1
(Vorschlag)
Wir waren in Berlin. Wir haben viele Museen
besucht. / Wir waren im Museum. Wir haben viel
Musik gehört. Ich habe im Kaufhaus eingekauft /
ein Souvenir gekauft. Ich habe eine Currywurst
probiert/gekauft. Es hat auch geregnet.

Wir waren in München. Wir haben im Hotel
gewohnt. / Wir waren im Hotel. Wir haben in der
Disco getanzt. / Wir waren in der Disco. Wir haben
Spaghetti gekocht. Ich habe viele Fotos gemacht. /
Ich habe viel fotografiert. Am Samstag habe ich ein
Geschenk gekauft. / Ich habe viele Geschenke mit-
gebracht.

### Test 2
(Vorschlag)
Mein bester Freund heißt Paul. Er ist 16 Jahre alt.
Wir haben uns in der Schule kennengelernt. Wir
gehen in eine Klasse und wir spielen zusammen
Fußball. Paul ist mein bester Freund, weil er lustig ist
und weil wir über alles sprechen können.

### Test 3
(Vorschlag)
○ Was ist dein Lieblingssport? / Was machst du? /
Was findest du gut?
● Ich spiele gern Volleyball. / Ich mag Reiten.
○ Wo machst du Sport?
● Ich gehe ins Schwimmbad. / Ich jogge im Park.
○ Wann machst du Sport? / Wann trainierst du?
○ Wie oft machst du Sport? / Wie oft trainierst du?
○ Warum machst du Sport? / Warum spielst du …?
○ Wie lange trainierst du? / Wie lange spielst du
schon …?

### Test 4
(Vorschlag)
○ Wie gefällt dir der rote / mein roter Hut?
● Der gefällt mir sehr gut / nicht.
○ Wie findest du das karierte / mein kariertes
Hemd?
● Das finde ich hässlich/super/schick.
○ Was / Wie viel kosten die schwarzen Stiefel?
● Die kosten …

○ Kaufst du den engen Mantel?
● Nein, den kaufe ich nicht.
○ Kannst du mir die schicke / deine schicke Tasche leihen?
● Ja, die leihe ich dir gern.
○ Magst du das bequeme / mein bequemes Kleid?
● Ich finde, das steht dir (nicht).

## Test 5
(Vorschlag)
○ Wo wohnst du?
● Ich wohne in der Stadt / auf dem Land / in einem Haus / in einer Wohnung / mit meinen Eltern in einer Wohnung.
○ Hast du ein (eigenes) Zimmer? / Ist dein Zimmer groß? / Magst du dein Zimmer?
● Ja, mein Zimmer ist super/schön/groß/hell. Ich habe viele Möbel: …
○ Hast du einen Lieblingsplatz? / Wo ist dein Lieblingsplatz?
● Ja, das ist das Sofa. Da sitze ich und lese oder sehe fern. / Das ist mein Bett. Da höre ich Musik, telefoniere …

## Test 6
(Vorschlag)
○ Was machst du, wenn du gut drauf bist?
● Wenn ich gut drauf bin, dann singe ich.
○ Was machst du, wenn du dich schlecht fühlst?
● Wenn ich mich schlecht fühle, gehe ich ins Bett und schlafe viel.
○ …

## Test 7
(Vorschlag)
○ Isst du oft Eis?
● Ja, im Sommer schon.
○ Die Suppe / Das Essen schmeckt nicht.
● Soll ich dir Salz bringen? / Willst du lieber einen Hamburger?
○ Ich möchte Pommes und eine Cola!
● Ja, natürlich. Noch etwas?
○ Was kostet ein Hamburger?
● Ein Hamburger kostet …
○ Schmeckt der Kuchen?
● Ja, er ist sehr lecker!
○ Hallo, ich möchte bitte bestellen. / Bringen Sie mir bitte die Speisekarte!
● Guten Tag, bitte, hier ist die Speisekarte.

## Test 8
(Vorschlag)
○ Was liest du (nicht) gern?
● Ich lese (nicht) gern Comics/Romane/…
○ Wann liest du (am liebsten)?
● Ich lese am Wochenende. / Abends, im Bett.
○ Wie oft liest du? / Wie oft kaufst du Bücher?
● Ich lese jeden Tag. / Einmal im Monat.
○ Was machst du in deiner Freizeit?
● Ich spiele ganz oft … / Am Nachmittag …

○ Wen triffst du, wenn du Zeit hast?
● Ich treffe meine Freunde.
○ Wo warst du am Wochenende?
● Ich war mit … im Kino.

## Test 9
(Vorschlag)
Dialog 1:
○ Wie viel Taschengeld bekommst du?
● Ich bekomme … pro Monat / in der Woche.
○ Bist du zufrieden?
● Nein, ich finde, dass das sehr wenig ist.
○ Wofür gibst du dein Taschengeld aus?
● Für … / Ich bezahle …

Dialog 2:
● Wie viel Taschengeld bekommst du?
○ Ich bekomme … pro Monat / in der Woche.
● Jobbst du auch? / Hast du auch einen Job?
○ Ja, ich … / Nein, …, denn …
● Wofür sparst du das Geld? / Sparst du Geld? Wofür?
○ Für … / Ja, ich möchte … kaufen. / Nein, …

## Test 10
(Vorschlag)
○ Was feierst du am liebsten?
● Meinen Geburtstag, natürlich.
○ Wann feiert ihr Neujahr?
● Neujahr ist bei uns am …
○ Wo bist du an Ostern?
● Wir fahren immer zu meiner Oma nach …
○ Wie feiert man bei euch Ostern?
● Wir suchen Ostereier.
○ Mit wem feierst du deinen Geburtstag?
● Mit meinen Freunden. Ich mache eine Party und lade 10 Freunde ein.
○ Wie ist das Wetter heute?
● Zum Glück scheint die Sonne.
○ Wann ist es hier kalt?
● Am kältesten ist es im Winter.
○ Wohin gehst du am Nachmittag, wenn es regnet?
● Ich gehe ins Museum. / Ich bleibe zu Hause.

## Test 11
(Vorschlag)
Der Film heißt … Er spielt in … Die Hauptfigur ist …
Am Anfang … Dann … / Danach … / Später …
Zum Schluss …

## Test 12
(Vorschlag)
○ Wo ist der Bahnhof?
● … möchte wissen, wo der Bahnhof ist.
□ Ah, das ist ganz einfach. Geh hier …
○ Wie spät ist es?
● Kannst du … sagen, wie spät es ist?
□ Klar, es ist …

○ Was kostet ein Eis?
● … fragt, was ein Eis kostet.
□ Ein Eis kostet …
○ Wie heißt der Lehrer / die Lehrerin?
● … fragt, wie der Lehrer / die Lehrerin heißt.
□ Ganz einfach. Er/Sie heißt …
○ Schmeckt Currywurst gut?
● … will wissen, ob Currywurst gut schmeckt.
□ Naja, es geht.
○ Regnet es morgen?
● Sag bitte …, ob es morgen regnet.
□ Das weiß ich leider auch nicht.

## Modelltest

### Hören
**Teil 1**   1a, 2b, 3c, 4b, 5c, 6a, 7c, 8a, 9c
**Teil 2**   richtig: 11, 13, 14, 16, 18
falsch: 10, 12, 15, 17, 19, 20

### Lesen
**Teil 1**   1b, 2b, 3c, 4a, 5b, 6c
**Teil 2**   richtig: 8, 9, 11, 13, 14, 16
falsch: 7, 10, 12, 15
**Teil 3**   17. Am Donnerstagmorgen. / Am Donnerstag. / Am Morgen.  18. Der Museumsdirektor. / Der Museumsdirektor hat es erzählt.
19. (Wertvolle) Silber- und Goldmünzen. /
Drei antike Münzen.  20. Die Klasse / Klaus
war / Die Schüler / Sie waren im Fernsehen.

### Schreiben
(Lösungsvorschlag)

Berlin, 17.2.20…

Lieber Olaf,
ich habe eure Anzeige gelesen. Ich heiße Philipp,
bin 15 Jahre alt und komme aus Frankreich. Meine
Hobbys sind Skaten und Gitarre spielen. Und ich
kann sehr gut singen. Ich bin seit drei Monaten als
Austauschschüler in Deutschland. Wo trefft ihr
euch? Ich habe immer montags Zeit.
Tschüss und bis bald,
Philipp

### Sprechen
**Teil 1**
(Vorschlag)
Ich heiße/bin … / Mein Name ist …
Ich bin … Jahre alt.
Ich lebe/wohne in / komme aus …
Meine Adresse ist … Meine Telefonnummer ist …
Ich bin Schüler/Schülerin und gehe in die Klasse …
Ich spreche … In der Schule lerne ich …
Ich habe viele Hobbys: Ich spiele Fußball,
schwimme gern und höre oft Musik. …

**Teil 2**
(Vorschlag)
○ Was hast du dieses Jahr in den Ferien gemacht?
● Wir sind nach Spanien gefahren.
○ Wem schreibst du aus dem Urlaub?

● Ich schreibe meinem Opa eine Postkarte.
○ Mit wem machst du dieses Jahr Ferien?
● Ich mache immer mit meinen Eltern Ferien.
○ Wie oft warst du schon im Ausland?
● Das weiß ich nicht genau. Vielleicht zehn Mal.
○ Wann hast du Sommerferien?
● Ich habe im Juli Ferien.
○ Wohin möchtest du in den Ferien fahren?
● Ich möchte gern ans Meer fahren.
○ Wie lange dauern deine Ferien?
● Wir haben sechs Wochen Ferien.
○ Warum bist du in den Ferien nach Deutschland
gefahren?
● Weil ich mehr Deutsch lernen wollte.

**Teil 3**
(Vorschlag)
Entschuldigung, weißt du, wann der Bus fährt?
Mach deine Musik leiser, Sofie!
Welche Jacke findest du besser?
Was ist passiert? Wie geht es dir?
Ich möchte gern eine Tafel Schokolade!
Hallo, ist bei euch noch Platz?

# Transkripte

## Test 1

### Aufgabe 1

○ Hallo Vera!

● Hi Max! Wie geht's?

○ Super! Wir waren gerade mit der Klasse in Berlin.

● In Berlin? Genial! Nach Berlin möchte ich auch mal. Wir machen dieses Jahr leider keine Klassenfahrt. Wo habt ihr gewohnt?

○ Wir waren in der Jugendherberge. Sie liegt im Zentrum. Das war super, alles war ganz nah, die Museen, der Reichstag …

● Und wie lange wart ihr in Berlin?

○ Fast eine Woche. Am Samstag sind wir angekommen. Am Donnerstagabend sind wir wieder nach Trier gefahren. In sechs Tagen kann man viel sehen: das Mauer-Museum, Checkpoint Charlie, die Gedächtniskirche … Der Reichstag war sehr interessant, unser Deutschlehrer hat uns auch viel über die Geschichte erzählt.
Einige Schüler waren danach im KADEWE shoppen und haben Souvenirs gekauft. Aber ich hatte kein Geld.

● Oh, schade. Und was habt ihr am Abend gemacht?

○ Einmal waren wir in einem Theater für Jugendliche. Das war superlustig! Am Samstagabend waren wir in der Disco und haben getanzt. An zwei Abenden waren wir im Hotel und haben Karten gespielt. Und am letzten Abend haben wir in einem Restaurant gegessen.

● Und was war sonst noch so los?

○ Karin hatte Geburtstag und hat in der Jugendherberge eine Party gefeiert. Wir hatten sehr viel Spaß. Nur Mona war nicht dabei. Sie hatte Bauchschmerzen und war im Bett. Sie war ziemlich traurig. Und ich habe in Berlin ganz viel fotografiert. Willst du die Fotos sehen?

● Oh ja, gern, aber ich muss jetzt weg. Hast du morgen Zeit?

○ Ja, morgen um fünf Uhr im Eiscafé?

● Gut! Bis morgen! Tschüss Max.

○ Tschüss Vera.

## Test 2

### Aufgabe 1

1 ● Warum kommst du erst jetzt?
  ○ Weil Caro und ich für Mathe gelernt haben, Mama.

2 ● Ich verstehe die Matheaufgaben nicht!
  ○ Kein Problem, ich erkläre dir die Aufgaben gern. Wann hast du Zeit?

3 ● Hast du schon mein neues Kleid gesehen?
  ○ Ja, es steht dir super!

4 ● Wie war es heute in der Schule?
  ○ Wir haben eine neue Mitschülerin! Sie ist klug, lustig und sieht gut aus.

5 ● Sara, wo bist du?
  ○ Ich habe Kopfschmerzen, deshalb bleibe ich heute im Bett.

6 ● Dein neuer Pullover gefällt mir sehr!
  ○ Ja, ich trage ihn auch sehr gern!

### Aufgabe 2

Was denken Jugendliche zum Thema guter Freund oder gute Freundin? Darum geht es heute bei „Radio Hip". Wir sind in Schulen gegangen und haben 100 Jugendliche zwischen 10 und 15 Jahren gefragt.
Sehr viele sagen, ein bester Freund oder eine beste Freundin muss absolut zuverlässig sein. Viele wollen außerdem einen lustigen Freund haben, mit dem man viel lachen kann. Du bist nie pünktlich und auch nicht gut in Sport? Dann findest du trotzdem schnell Freunde, denn diese Eigenschaften finden viele Jugendliche nicht so wichtig.
Und was machen Freunde in ihrer Freizeit? Jungen spielen oft zusammen Fußball oder gehen ins Kino. Viele Mädchen treffen ihre Freundinnen im Eiscafé oder gehen zusammen shoppen – und Filme im Kino sehen sie auch gern.

## Test 3

### Aufgabe 1

1

○ Eva, machst du Sport?

● Ja, Sport finde ich ganz wichtig. Ich habe schon immer gern Sport gemacht. Im Moment reite ich am liebsten.

○ Und warum?

● Oh, ich liebe Pferde! Sie sind so süß!

○ Aber das ist auch teuer, oder?

● Ich reite nur drei Stunden pro Woche und das bezahlen meine Eltern.

2

○ Und du, Helmut?

● Ja, also, Sport … ich habe eigentlich nicht viel Zeit, weil ich viel Musik mache, ich spiele Klavier und übe fast jeden Tag. Aber ein bisschen Sport mache ich schon, denn ich will ja fit bleiben.

○ Und welchen Sport machst du?

● Mannschaftssport mag ich nicht so gern. Also, Fußball, Hockey oder so, das ist nichts für mich. Aber ich gehe zweimal in der Woche joggen und am Samstag gehe ich mit meinem Vater eine Stunde schwimmen.

3

○ Felix, und du? Machst du Sport? Und warum?

● Sport? Na klar! Ich spiele schon seit drei Jahren Basketball. Das ist super, weil ich auch alle meine Freunde beim Basketball treffe. Wir trainieren oft, fünf Stunden in der Woche. Meine Mutter sagt,

Sport ist gut für die Gesundheit. Deshalb macht meine Familie viel Sport: Meine Eltern spielen Tennis und meine Schwester klettert jetzt. Das ist auch okay, aber ich spiele lieber Basketball.

### Aufgabe 2

1

○ Max, und wann hast du Geburtstag?
● Mein Geburtstag ist am siebten Mai.
○ Aha, also hast du im Frühling Geburtstag.

2

○ Caro, wann schreiben wir den Mathetest? Schon nächste Woche?
● Ja, nächsten Montag. Warte, ich sage dir das Datum: Das ist der vierte Oktober.

3

● Papa, wann ist das Spiel Spanien gegen Deutschland?
○ Das ist erst im Juni, am achtzehnten. Das ist ein Sonntag.

4

○ Das ist die Mailbox von Mara.
● Hallo Mara, hier ist Lotte. Ich rufe dich an, weil ich nächste Woche Samstag, also am dreiundzwanzigsten September, eine Party mache. Kommst du? Wir feiern bei mir im Garten. Tschüss – und ruf mich an!

## Test 4

### Aufgabe 1

● Hallo Simon!
○ Hi, Leon, du hast ja ein schickes T-Shirt!
● Ja, es gefällt mir auch sehr gut. Ich habe es am Samstag im Kaufhaus in der Maienstraße gekauft.
○ Da habe ich noch nie Klamotten gekauft.
● Echt? Also, ich kaufe gern dort ein. Die Sportsachen sind billig. Und im dritten Stock ist ein Media-Shop. Da gibt es immer die neuesten Computerspiele!
○ Naja, du weißt ja, Computerspiele finde ich langweilig. Aber ich habe am Wochenende einen spannenden Krimi gekauft. Der ist super! Ich habe das ganze Wochenende nur gelesen.
● Und wo kaufst du Bücher, Simon? Auch im Kaufhaus?
○ Manchmal, aber meistens gehe ich in den kleinen Buchladen in der Hauptstraße. Da gibt es alles! … Oh, es ist schon halb sechs. Ich muss für das Abendessen noch Brot kaufen. Die Bäckerei ist in der Hauptstraße. Kommst du mit? Es ist nicht weit.
● Gute Idee, und neben der Bäckerei ist gleich ein Imbiss. Ich habe Lust auf eine Bratwurst mit Pommes frites. Und viel Soße, lecker!
○ … Ja, Mama, o. k.! Tschüss. … Tut mir leid, Leon, ich kann nicht mit zum Imbiss kommen. Ich muss jetzt sofort nach Hause. Aber vielleicht nächstes Mal …
● Schade! Tschüss, Simon.

### Aufgabe 2

1

○ Eine Bratwurst mit Pommes, bitte!
● Sofort! Möchtest du auch Soße?
○ Nein, danke!
● Gut, das macht drei Euro zehn.

2

Hm, und dann brauche ich noch Milch, Butter, Nudeln und eine Packung Zucker. Ah ja und Marmelade … Wo ist nur die Marmelade?

3

○ Was darf's denn sein?
● 500 Gramm Tomaten, bitte.
○ Sonst noch was?
● Ja, ein Kilo Orangen.
○ Ist das alles?
● Ja, danke. Wie viel macht das?
○ Das macht zusammen 4 Euro 90.
● Bitte schön, auf Wiedersehen.

4

○ Guten Tag, ich möchte das aktuelle Computermagazin.
● Hier, bitte. Ist das alles?
○ Haben Sie auch den neuen Krimi von Henning Mankell?
● Nein, das tut mir leid, da musst du in einen Buchladen gehen. Wir verkaufen nur Zeitungen.
○ Okay. Was kostet das Computermagazin?
● 4 Euro 10.
○ Hier, bitte, und auf Wiedersehen.
● Wiedersehen.

## Test 5

### Aufgabe 1

Und hier ist wieder „Radio Salto". Heute haben wir wieder ein spannendes Thema für euch: Wie wohnen Jugendliche in Deutschland? Wie möchten sie gern wohnen? Und wie sehen ihre Zimmer aus? Wir haben junge Leute zwischen 14 und 18 Jahren in ganz Deutschland gefragt. Sie leben in einer Stadt oder in einem Dorf. Das wichtigste Ergebnis: Die meisten Jugendlichen mögen ihren Wohnort. Nur wenige sagen, dass sie lieber in einer anderen Stadt oder an einem anderen Ort leben wollen. Wichtig für die Jugendlichen ist, dass ein Sportplatz und ein Kino nicht weit weg sind. Die meisten finden auch wichtig, dass ihre Freunde in der Nähe wohnen.
Ganz wichtig finden die Jugendlichen auch das eigene Zimmer. Dort schlafen sie nicht nur, da machen sie auch Hausaufgaben, hören Musik oder surfen im Internet. Und wie groß ist ein typisches Zimmer von Jugendlichen in Deutschland? Auf dem Dorf haben Jugendliche oft ein großes Zimmer. In der Stadt, zum Beispiel in Köln oder München, sind die Mieten höher. Deshalb sind die Zimmer meistens auch kleiner.

**Aufgabe 2**

Unser Wohnzimmer ist groß und hat einen Balkon. Hier ist ein Foto: Rechts neben der Tür steht unser Sofa. Es ist blau und sehr gemütlich. Vor dem Sofa liegt ein großer Teppich. Schau mal, auf dem Teppich liegt unsere Katze und schläft, das sieht sehr gemütlich aus! Und über dem Sofa hängt ein buntes Poster. Das finde ich sehr schön. Und vor dem Fenster steht ein Sessel. Das ist mein Lieblingsplatz. Der Fernseher steht neben dem Fenster in der Ecke. Wir sehen aber nicht viel fern.

## Test 6

### Aufgabe 1

1
○ Hallo Max, wie geht's?
● Ich bin glücklich! Unsere Mannschaft hat heute im Fußball gewonnen.
○ Genial, das freut mich für euch!

2
○ Hi, Eva! Alles okay?
● Nein, ich bin wütend! Meine Schwester nervt mich. Immer zieht sie meine Klamotten an … Morgen ist die Party bei Frank und mein neues Kleid ist dreckig!!!

3
○ Hallo, Tina, du bist ja gut drauf!
● Ja, ich habe sehr gute Laune! Und wie geht es dir? Alles okay?

4
○ Lara, hey, wie siehst du denn aus? Alles klar?
● Nein, leider nicht. Ich hab' schlechte Laune, ich hab' in Mathe eine Sechs geschrieben.

5
○ Hi Olli, wie geht's?
● Och, so lala. Morgen schreiben wir einen Englisch-Test und ich muss den ganzen Nachmittag lernen.

6
○ Hallo Nelli, wie geht es dir?
● Ab morgen sind Ferien und ich besuche meine Freundin in Frankreich! Ich freu' mich schon so, ich bin super gut drauf!

## Test 7

### Aufgabe 1
○ Annika, was isst du morgens?
● Ähm, ich trinke Milch und ich esse Toast mit Marmelade. Warum fragst du, Tom?
○ Hm, ja … wir sollen für die Schule unsere Essgewohnheiten beobachten.
● Ach so. Und was isst du?
○ Also, morgens esse ich normalerweise Müsli und trinke einen Orangensaft. Manchmal trinke ich auch eine Tasse Tee …
● Tee? Ich trinke keinen Tee, ich mag lieber Kaffee oder nur Milch.

○ Mhm. Ja, und mittags esse ich in der Schule. Wir haben eine Mensa. Meistens gibt es da Steak oder Schnitzel mit Gemüse. Man kann aber auch ein vegetarisches Essen nehmen.
● Das finde ich super! In meiner Schule gibt es leider keine Schulmensa. Wenn wir nachmittags Unterricht haben und ich mittags nicht nach Hause gehen kann, muss ich etwas beim Bäcker kaufen. Viele Schüler essen dann auch Fastfood, einen Hamburger oder Pommes frites.
○ Oh, das ist aber ungesund! Und zu Hause? Was isst du da?
● Meine Eltern arbeiten beide. Deshalb essen wir erst am Abend zusammen. Mittags kochen mein Bruder Bruno und ich: mal Pfannkuchen, mal Spaghetti …
○ Hm, lecker, das esse ich auch gern!
● Dann komm doch morgen nach der Schule zu uns und wir kochen zusammen und machen einen Salat. Das ist gesund!
○ Super, danke für die Einladung!

### Aufgabe 2

Also, ich esse gerne Salat. Und das hier ist das Rezept für meinen Lieblingssalat. Es ist ganz einfach. Das brauchst du: Zuerst natürlich einen frischen Salat. Dann 500 Gramm Tomaten und zwei Karotten. Ich nehme auch eine Gurke und 100 Gramm frische Pilze. Das schmeckt besonders gut. Du musst alles waschen. Für die Soße brauchst du drei Löffel Öl und ein bisschen Zitrone. Aber nicht zu viel, die Soße darf nicht so sauer sein! Und natürlich eine Prise Salz und ein bisschen Pfeffer. Und fertig ist mein Salat!

## Test 8

### Aufgabe 1

1
○ Wo ist denn Frank?
● Keine Ahnung. Es kann sein, dass er noch schläft. Gestern ist er auch erst spät aufgestanden.

2
○ Warum war Leo nicht bei Jannas Party?
● Er war leider krank und musste im Bett bleiben. Ich habe vorgestern mit ihm telefoniert, jetzt geht es ihm schon wieder besser.

3
○ Hey Carla, weißt du schon, dass wir morgen keinen Biounterricht haben?
● Cool, kein Bio! Dann können wir ja bestimmt früher nach Hause gehen!
○ Glaubst du? Herr Meyer will dann bestimmt zwei Stunden Mathe machen.
● Oh, Mann!

4
○ Kommt Jan auch mit ins Schwimmbad?
● Leider nicht, er spielt heute Nachmittag Basketball.
○ Ah, deshalb hat er keine Zeit.

5
○ Warum ist denn heute das Museum geschlossen?
● Komisch, das weiß ich auch nicht. Aber, schau, hier hängt ein Zettel: „Das Museum muss heute leider geschlossen bleiben, weil seit gestern antike Goldmünzen fehlen. Wir bitten um Entschuldigung. Der Museumsdirektor".

6
○ Mama, weißt du, wo mein Buch ist?
● Schau doch mal auf dem Tisch beim Sofa, Lisa. Vielleicht liegt es dort.

### Aufgabe 2
15 A

Hallo Erik! Hier ist Manuel. Schade, dass du nicht da bist. Ich muss dir etwas erzählen: Der Direktor hat heute in der Schule einen Diebstahl entdeckt. Ja, du hast richtig gehört: nicht in einem Museum, nein, in unserer Schule! Und es sind auch keine wertvollen Münzen, aber zwei nagelneue Laptops sind verschwunden! Und ich habe einen Verdacht! Vielleicht finden wir den Täter. Aber du musst mir helfen. Ruf mich an! Oder nein, schick mir lieber eine SMS. Ich bin noch bis 16 Uhr in der Schule und darf das Handy nicht anmachen.

B

Hi Lena, hier spricht Christine. Hast du morgen um 17 Uhr Zeit? Ich weiß, dass du im Moment viel lernen musst, aber ich frage dich trotzdem. Also, morgen liest Janina Mann im Café „Am Dom" aus ihrem neuen Roman. Du weißt ja, ich lese alle ihre Bücher! Und den neuen Roman kenne ich noch nicht. Kommst du mit? Kannst du mich später anrufen? Jetzt muss ich sofort weg, aber ab 18 Uhr bin ich zu Hause. Tschüss!

## Test 9
16
### Aufgabe 1
○ Wir machen heute ein Interview zum Thema Taschengeld. Dazu spreche ich mit Michel und Claudia. Könnt ihr euch bitte kurz vorstellen?
☐ Ja, klar, ich bin Michel, bin 15 Jahre alt und bin Schüler.
● Hallo, ich heiße Claudia. Ich bin 16 und gehe auf das Mateus-Gymnasium.
○ Und wie sieht es bei dir mit Taschengeld aus, Michel?
☐ Also, ich bekomme 22 Euro im Monat.
○ Ist das genug?
☐ Nein, eigentlich nicht. Von meinem Taschengeld bezahle ich mein Handy. Manchmal kaufe ich eine CD oder ein Buch. Und natürlich möchte ich auch mal mit meinen Freunden ins Kino gehen. Die bekommen alle mehr Taschengeld als ich. Aber ich will kein Spielverderber sein und gehe trotzdem mit ihnen ins Kino. Da ist das Geld dann schnell weg.
○ Und wie ist das bei dir, Claudia?

● Ich bin mit meinem Taschengeld zufrieden. Ich bekomme 30 Euro, aber das Handy bezahlen meine Eltern. Manchmal gibt mir auch meine Oma noch etwas Geld, für Kosmetik oder so. Und wenn ein super Konzert ist, geben mir meine Eltern auch Geld für die Eintrittskarte. Sie wissen, dass sie sich auf mich verlassen können und ich das Geld nicht für andere Dinge ausgebe.
☐ Das tun meine Eltern leider nicht. Sie denken immer, dass ich sowieso viel zu viel Geld ausgebe. Aber ich habe seit ein paar Wochen einen Job! Einmal pro Woche helfe ich einer älteren Frau mit dem Computer. Sie zahlt mir 10 Euro pro Stunde und es macht viel Spaß.
○ Das ist ja ein interessanter Job! Vielleicht könnt ihr uns zum Thema Geldverdienen gleich noch ein bisschen mehr erzählen. Jetzt aber erst mal ein wenig Musik von …

## Test 10

17

### Aufgabe 1
○ Hi Leonie, lange nicht gesehen!
● Hallo Anke! Ja, ich war im Urlaub!
○ Du allein?
● Nein, mit meinen Eltern. Wir waren in der Schweiz, in den Bergen.
○ Klasse! Und was habt ihr da gemacht?
● Naja, wir sind natürlich viel gewandert. Ich liebe das, aber meine Schwester war genervt. Sie findet immer, dass es viel zu heiß ist zum Wandern. Aber wir sind trotzdem gegangen und sie musste mit. In der letzten Woche waren wir dann noch in Italien am Meer. Das war dann für alle schön.
○ Und wie war das Wetter?
● Also, der Wetterbericht für die Schweiz war oft nicht gut: Regen, Wind und kalt. Aber die Wahrheit ist, dass die Sonne die ganze Zeit geschienen hat und es ziemlich warm war. Super! Und du? Was hast du in den Ferien gemacht, Anke?
○ Im Juli war ich zu Hause. Und im August bin ich mit meinen Cousins auf einen Campingplatz am Meer gefahren. Das war spitze! Wir haben viel Sport gemacht: Da konnte man nicht nur schwimmen, sondern auch Fußball und Volleyball spielen.
● Und wie war bei euch das Wetter?
○ So lala. Es hat nicht viel geregnet, aber es war auch nicht so warm. Ich habe trotzdem jeden Tag im Meer gebadet. Und ich habe viele Fotos gemacht. Willst du sie sehen?
● Au ja, gern! Zeig mal.

### Aufgabe 2
Und hier der Wetterbericht für Deutschland für heute Montag, den 16. Juni. Nach viel Sonnenschein am Wochenende regnet es heute im Süden. Die Temperaturen sind wenig freundlich und gehen nicht über 16 Grad.

18

Im Norden von Deutschland kann man sich heute über gutes Wetter freuen. In Hamburg scheint von morgens bis abends die Sonne. Die Temperatur liegt bei warmen 23 Grad, der Wind weht leicht aus Nordost.

Noch höher sind die Temperaturen im Osten. In Berlin ist es am Mittag sehr heiß, das Thermometer zeigt bis 31 Grad. Trotzdem ist es nicht sonnig, sondern meistens bewölkt.

Im Westen von Deutschland ist der Sommer noch nicht angekommen. Hier regnet es seit dem frühen Morgen. Nachmittags sind auch Gewitter möglich. Morgen aber scheint schon wieder die Sonne. Das war der Wetterbericht. Gleich geht es weiter mit aktuellen Meldungen. Aber zuerst …

## Test 11

### Aufgabe 1

1 Marta
Wir wollen in der Schule eine Talentshow organisieren. Ich finde die Idee aber nicht so gut. Ich habe keine Angst, wenn ich vor vielen Leuten stehe. Aber ich werde schnell rot und das ist peinlich.

2 Claudia
Weil ich Schauspielerin werden will, bin ich natürlich ganz glücklich, dass ich beim Schulfest mein Talent zeigen kann. Nur ein Kostüm brauche ich noch. Vielleicht nähe ich es selbst.

3 Peter
Also, Schauspieltalent, das fehlt mir. Ein guter Moderator bin ich auch nicht, finden meine Freunde. Aber ich will trotzdem bei der Talentshow mitmachen. Deshalb bin ich in der Jury.

4 René
Ich bin Musikfreak und mein Talent ist Singen. Ich singe von morgens bis abends. Mein Bruder ist manchmal ein bisschen genervt, das stimmt, aber bei der Musikshow will er auch dabei sein. Vielleicht singt er sogar mit, dann sind wir sicher das Gewinnerteam! Meine Eltern sehen dann bestimmt auch zu!

5 Ruth
Ich spiele Klavier. Ich habe erst ein Mal an einem Wettbewerb teilgenommen. Mann, war ich da nervös! Ich glaube, dieses Mal wird es besser, denn ich bin gut vorbereitet. Ich habe jeden Tag mindestens zwei Stunden geübt. Und alle meine Freunde sind im Publikum.

## Test 12

### Aufgabe 1

Hier ist Radio „Welle 1" mit Informationen und Musik für junge Leute. Und das ist heute unser Thema: Immer mehr Jugendliche ab 15 Jahren gehen für sechs Monate oder ein Jahr ins Ausland und jedes Jahr kommen viele Schüler und Schülerinnen nach Deutschland und nehmen hier am Unterricht teil. Schüleraustausch wird immer beliebter.

Die Schüler und Schülerinnen wohnen im Gastland bei Familien und besuchen dort die Schule. Dabei lernen sie nicht nur die Sprache, sondern auch ganz viel über das Land und die Kultur. Oft ist es auch das erste Mal, dass sie ohne ihre Familie leben. Für viele Jugendliche ist vor allem das am Anfang nicht leicht. Dennis war für sechs Monate in Großbritannien. „Englisch hatte ich ja schon in der Schule.", erzählt er uns, „das war kein Problem, aber plötzlich war ich ganz allein. Das war schon komisch."

Trotzdem: Viele Jugendliche von deutschen Schulen versuchen es. Und sie gehen immer weiter weg von zu Hause. Die englischsprachigen Länder stehen zwar immer noch auf Platz 1 und das beliebteste Austauschland heißt USA, aber auch China oder Südamerika besuchen viele junge Deutsche für einen Austausch. Dafür kommen Schüler und Schülerinnen ganz unterschiedlicher Nationalitäten zu uns.

Möchtest du mehr wissen? Wichtige Informationen zum Thema findest du im Internet unter: www.welle1-austausch.de

### Aufgabe 2

○ Hier ist Radio Logo und ich bin Bernd. Heute mache ich ein Interview mit Ludmilla und Roberto. Beide sind in diesem Jahr als Austauschschüler in Deutschland. Und ich möchte wissen, woher sie kommen und wie es ihnen bei uns gefällt. Hallo, Ludmilla! Schön, dass ich ein Interview mit dir machen darf!

□ Na, klar! Kein Problem.

○ Also, kannst du mir erzählen, woher du kommst?

□ Klar! Ich bin aus Russland, genauer gesagt aus Moskau.

○ Und hier in Deutschland, wo lebst du hier?

□ Bei meiner Gastfamilie. Und die wohnt in Frankfurt.

○ Und wer gehört zu deiner Gastfamilie?

□ Ja, also, erst mal natürlich die Eltern und meine Gastschwester Laura. Laura ist so alt wie ich und geht mit mir zur Schule. Ach ja, und Beppo darf ich nicht vergessen. Das ist der Hund. Er ist total süß und gehört auch mit zur Familie.

○ Und wie gefällt es dir hier?

□ Eigentlich ist alles genial. Laura und ihre Eltern sind super. Nur das Essen schmeckt mir nicht immer so gut. Die Familie isst vegetarisch und ich esse gern Fleisch. Nur Gemüse, das ist ein bisschen langweilig.

○ Oh, schade. Und sonst? War alles okay?

□ Ja. Aber am Anfang hatte ich Probleme mit der Sprache. Also, ich konnte schon gut Deutsch sprechen, aber wenn die Leute Dialekt gesprochen haben, habe ich fast nichts verstanden.

○ Das kann ich mir vorstellen. Vielen Dank, Ludmilla! Ah hallo, hier ist ja auch schon Roberto! Hallo Roberto!

● Hallo! Soll ich was sagen?

○ Ja, erzähl mir bitte, wie du heißt und woher du kommst.

● Ja, also, ich heiße Roberto und komme aus Ecuador. Ich war jetzt sechs Monate als Austauschschüler in Deutschland.

○ Und wo warst du genau?

● Meine Gastfamilie lebt in Kassel.

○ Und wer gehört zu deiner Gastfamilie?

● Also, die Eltern – na klar – und meine beiden Gastbrüder, Jan und Steffen. Jan ist ein bisschen älter als ich und Steffen ist noch klein, erst fünf.

○ Hat es dir in Kassel gefallen?

● Ja, klar! Die Stadt ist nicht so groß, das mag ich. Es ist auch sehr grün und man kann ganz einfach mit dem Fahrrad fahren. Wir sind zum Beispiel immer mit dem Fahrrad zur Schule gefahren. In Ecuador geht das nicht.

○ In Ecuador isst man doch sicher auch ganz anders als hier, oder?

● Ja, das stimmt, aber das Essen hier war trotzdem sehr lecker. Die Mutter von Jan und Steffen ist eine super Köchin.

○ Das hört sich ja alles ganz prima an. Hattest du denn auch Probleme?

● Nein, absolut nicht, … ah ne, doch: Am Anfang habe ich nicht verstanden, wie das mit dem Müll in Deutschland funktioniert. Also, dass man den Müll sortieren muss und so. Das war ganz schön kompliziert. Aber jetzt bin ich Experte!

○ Ja, dann vielen Dank, Roberto! Und jetzt machen wir weiter mit Musik …

## Modelltest „Fit in Deutsch 2"

**22** Hören

Dieser Test hat zwei Teile. Lies zuerst die Aufgaben, höre dann den Text dazu. Schreibe am Ende deine Lösungen auf den Antwortbogen.

### Teil 1

Du hörst drei Mitteilungen für Jugendliche im Radio. Zu jeder Mitteilung gibt es Aufgaben. Kreuze an: a, b oder c. Du hörst jede Mitteilung zweimal.

Beispiel: „Radio Hip" …
– ist für Jugendliche aus München.
– kann man immer montags hören.
– spielt vor allem Musik.

Hallo! Wie jeden Montag ist hier wieder „Radio Hip" aus München mit vielen interessanten Informationen und Musik für Jugendliche auf der ganzen Welt.

Wie immer montags haben wir auch heute drei spannende Themen für euch vorbereitet. Taschengeld – reicht es? Kann man es aufbessern? In unserem ersten Beitrag sprechen wir über dieses Thema. Danach wollen wir euch ein spannendes Projekt von der Lise-Meitner-Realschule in München vorstellen. Unser letzter Beitrag ist für alle interessant, ganz besonders aber für junge Fotografen und Fotogra-

finnen: Wir informieren euch über einen aktuellen Foto-Wettbewerb. Neugierig? Dann hört zu bis zum Schluss.

**Lies die Aufgaben 1, 2 und 3.**
Jetzt hörst du die erste Mitteilung.

Unser erstes Thema heute: Taschengeld. Viele junge Leute meinen, dass sie zu wenig Taschengeld bekommen. „Wenn ich mein Handy bezahle, ist schon fast alles weg", sagt Mario (16). Aber das Geld soll auch für einen Besuch im Kino, ein Konzert, Bücher oder Musik reichen.
Die meisten Eltern haben da eine andere Meinung. Sie finden, dass sie ihren Kindern genug Taschengeld geben und die Jugendlichen auch sparen sollen. Wenn man diesen Monat ins Kino gehen will, kann man eben erst im nächsten Monat ein neues Buch kaufen, denken sie.
Wir haben mehrere Jugendliche gefragt, wie sie ihr Taschengeld aufbessern. „Jobben kann man auch als Schüler", sagen sie. Mario zum Beispiel ist gut in Englisch und gibt anderen Schülern Nachhilfe. Susanne geht mit dem Hund von den Nachbarn spazieren, denn sie mag Tiere und ihre Nachbarn haben wenig Zeit. Jens ist fit am Computer und hilft älteren Menschen, wenn das Internet nicht funktioniert. Seine Eltern finden das richtig gut.
Andere Jugendliche jobben nicht, aber sie haben Spartipps. Sie raten, dass man am Kinotag ins Kino gehen soll, dann kostet das Ticket viel weniger. Oder man kann nach Schülerpreisen fragen, damit man weniger Geld bezahlen muss.
Habt ihr noch andere Ideen? Dann schreibt uns und sagt uns eure Meinung. Ab nächsten Sonntag könnt ihr alle Tipps auf unserer Internetseite lesen: www.radiohip.de

Du hörst jetzt diese Mitteilung noch einmal. Markiere dann die Lösung zu Aufgabe 1, 2 und 3.

**Lies die Aufgaben 4, 5 und 6.**

Jetzt hörst du die zweite Mitteilung.

Und hier ist schon unser nächstes Thema: „Wir kochen unser Essen selbst" – für die Schüler und Schülerinnen der Klasse 10b war das letzte Woche nicht nur eine lustige Idee. Denn in der Lise-Meitner-Realschule in München gibt es seit drei Jahren das Projekt „Schüler kochen – für sich und ihre Eltern". Eine Woche lang stehen da nicht Mathe, Chemie oder Englisch auf dem Stundenplan, sondern ganz praktische Sachen.
Die Schüler und Schülerinnen lernen, wo man am besten frische Lebensmittel einkauft und was man für Pfannkuchen oder eine Pizza braucht. Dann kochen sie vier Tage lang.
Am letzten Tag dürfen Eltern, Geschwister und Lehrer als Gäste kommen. Und finden es super! Denn die jungen Köche haben nicht nur gelernt, wie man z. B. ein leckeres Pilzrisotto oder Fleisch und Gemüse macht, sondern wissen auch, dass es

besonders gut schmeckt, wenn der Tisch schön aussieht.

Und damit nicht genug. Die Schüler haben auch gemerkt, dass Mathe, Chemie oder Englisch in der Küche eine praktische Hilfe sind: Englisch hat zum Beispiel geholfen, wenn sie ein Rezept im Internet gesucht haben, und Mathe, wenn sie rechnen mussten, wie viel Mehl man für 24 Portionen Pfannkuchen braucht. Denn diese Mengen stehen in keinem Rezept!

Du hörst jetzt diese Mitteilung noch einmal. Markiere dann die Lösung zu Aufgabe 4, 5 und 6.

**Lies die Aufgaben 7, 8 und 9.**
Jetzt hörst du die dritte Mitteilung.

So, und jetzt sind wir schon bei unserem letzten Thema für heute. „Der schönste Platz in unserer Wohnung" heißt ein neuer Foto-Wettbewerb. Nicht alle Jugendlichen haben ihr eigenes Zimmer, aber einen Lieblingsplatz im Haus oder in der Wohnung, den hat jeder! Vielleicht ist es die Badewanne, das gemütliche Sofa, auf dem eure Katze so gerne liegt, oder das eigene Bett. Das ist egal. Wichtig ist, dass du ihn fotografierst. Wenn du schon 14 und noch keine 18 Jahre alt bist, kannst du an dem Wettbewerb teilnehmen. Es ist ganz einfach. Du darfst drei Fotos schicken. Die Bilder können bunt oder schwarz-weiß sein. Schick die Bilder bitte bis zum 31. März an folgende Adresse: FutureDesign, Bernerstraße 16 in Berlin. Die Adresse findest du auch auf unserer Internetseite: www.radiohip.de/wettbewerb. Natürlich kann man auch etwas gewinnen. Für das beste Foto gibt es eine nagelneue Digitalkamera. Platz zwei und drei bekommen jeweils das Buch „Fotografieren – nichts leichter als das!" und die schönsten Fotos könnt ihr mit euren Eltern und Freunden ab dem 15. April im Internet anschauen. Wir informieren euch!

Du hörst jetzt diese Mitteilung noch einmal. Markiere dann die Lösung zu Aufgabe 7, 8 und 9.

Das war´s für heute. Nächsten Montag ab 17 Uhr hört ihr uns wieder. Wir sagen Tschüss und bis bald und wünschen euch noch eine schöne Woche.

**Teil 2**
Du hörst ein Gespräch zwischen zwei Jugendlichen. Zu dem Gespräch gibt es Aufgaben. Kreuze an: richtig oder falsch. Das Gespräch hörst du zweimal.

Beispiel: Fabians Handy hat nicht funktioniert.
● Hallo Ina, wie geht's?
○ Hei, Fabian! Super, und dir? Wo warst du denn gestern?
● Gestern?
○ Ja, wir wollten doch zusammen ins Schwimmbad fahren! Wir haben 15 Minuten gewartet, dann sind wir ohne dich gefahren.
● Oh, ja, tut mir echt leid! Meine Großmutter war krank. Da habe ich sie natürlich besucht.

○ Ach so, na klar! Aber warum hast du uns nicht angerufen?
● Der Akku vom Handy war leer. Aber nächstes Mal komme ich bestimmt mit. Wann geht ihr wieder schwimmen?
○ Wenn das Wetter gut ist, am Samstag. Ich rufe dich an!
● Super, bis dann!

Du hörst das Gespräch in zwei Teilen.

**Lies die Sätze 10 bis 14.**
Jetzt hörst du den ersten Teil des Gesprächs.
● Hallo Jan!
○ Hallo Lena, wie geht´s? Lange nicht gesehen!
● Ja, stimmt, erst die Ferien und dann waren wir letzte Woche mit der Klasse in Berlin.
○ In Berlin? Genial! Und wo habt ihr da gewohnt? In der Jugendherberge?
● Nee, wir waren in einem Jugendhotel, ganz nah beim Kudamm, und absolut zentral.
○ Das hört sich gut an. Und wie seid ihr nach Berlin gekommen? Mit dem Bus?
● Nein, wir sind mit dem Zug gefahren. Das hat ganz schön lang gedauert, fünf Stunden! Robby und die anderen Jungs haben die ganze Zeit Karten gespielt, wir Mädchen hatten keine Lust, aber Sanne und ich haben Fotos von allen gemacht.
○ Und was hat dir in Berlin am besten gefallen?
● Das kann ich schwer sagen. Also, an einem Tag haben wir den Reichstag besichtigt. Du weißt ja, man kann oben in die Glaskuppel gehen. Das war echt cool. Und dann waren wir auch im Mauer-Museum. Ich finde Museen meistens nicht so spannend, aber das hier war super interessant. Man hat ganz viel gesehen, wie Berlin früher war und so. Ja, und der Zoo war natürlich super! Du weißt ja, ich liebe Tiere! Sag mal, soll ich dir die Fotos zeigen? Das Känguru war so süß!
○ Ja gern!
● Dann komm doch heute Nachmittag zu mir. Ich zeige sie dir am Computer.
○ Ist vier Uhr okay?
● Klar, bis dann.

Du hörst den ersten Teil des Gesprächs noch einmal. Markiere dann für die Sätze 10 bis 14: richtig oder falsch.

**Lies die Sätze 15 bis 20.**
Jetzt hörst du den zweiten Teil des Gesprächs.
● Hi Jan, komm rein!
○ Hallo!
● Komm, der Computer steht in Papas Arbeitszimmer. Ich bekomme erst zu Weihnachten einen eigenen Computer.
Schau, hier ist schon das erste Bild: Das ist auf der Reise im Zug. Robby spielt Karten und gewinnt wie immer.

○ Sag mal, Robby hatte doch letzte Woche
Geburtstag, oder?

● Ja, wir haben im Hotel eine Party gefeiert. Alle
haben etwas vorbereitet: Musik, Essen und
Getränke und dann haben wir den ganzen Abend
getanzt. Es war superlustig!

○ Und wo ist Anja? Warum ist sie auf keinem Foto?
War sie krank?

● Anja? Oh nee, sie war sauer. Robby hat sich in
Berlin nur für Katja interessiert. Da war Anja ganz
schlecht drauf. Und auf die Party wollte sie dann
auch nicht gehen.

○ Und was ist das? Dieses kleine grüne Männchen?

● Weißt du das nicht? Das ist ein Ampelmännchen!
Ein typisches Souvenir aus Berlin! Fast alle haben
ein Ampelmännchen gekauft. Nur ich nicht. Ich
habe mir ein Berlin-T-Shirt gekauft!

○ Oh, cool, das steht dir gut!

● Danke, aber jetzt erzähl du auch mal. Wohin ist
eure Klasse denn gefahren?

○ Wir sind noch nicht weg gewesen. Wir fahren
erst nächste Woche. Nach Wien.

● Das ist sicher auch toll!

○ Ja, Wien ist super. Aber ich möchte lieber nach
Berlin fahren. In Wien war ich letzten Sommer
schon mit meinen Eltern.

Du hörst den zweiten Teil des Gesprächs noch
einmal. Markiere dann für die Sätze 15 bis 20:
richtig oder falsch.

Schreibe jetzt deine Lösungen 1 bis 20 auf den
Antwortbogen. Ende des Prüfungsteils Hören.

# Antwortbogen

Frau/Herr
Familienname _____

Vorname _____

Geburtsort/-datum _____

## Hören

**Teil 1**

| 1 | a | b | c |
| 2 | a | b | c |
| 3 | a | b | c |
| 4 | a | b | c |
| 5 | a | b | c |
| 6 | a | b | c |
| 7 | a | b | c |
| 8 | a | b | c |
| 9 | a | b | c |

**Teil 2**

| 10 | richtig | falsch | | 15 | richtig | falsch |
| 11 | richtig | falsch | | 16 | richtig | falsch |
| 12 | richtig | falsch | | 17 | richtig | falsch |
| 13 | richtig | falsch | | 18 | richtig | falsch |
| 14 | richtig | falsch | | 19 | richtig | falsch |
| | | | | 20 | richtig | falsch |

Lösungen 1–20: _____

## Lesen

**Teil 1**

| 1 | a | b | c |
| 2 | a | b | c |
| 3 | a | b | c |
| 4 | a | b | c |
| 5 | a | b | c |
| 6 | a | b | c |

**Teil 2**

| 7 | richtig | falsch | | 12 | richtig | falsch |
| 8 | richtig | falsch | | 13 | richtig | falsch |
| 9 | richtig | falsch | | 14 | richtig | falsch |
| 10 | richtig | falsch | | 15 | richtig | falsch |
| 11 | richtig | falsch | | 16 | richtig | falsch |

Lösungen 1–16: _____

Lösungen 17–20: _____

**Teil 3**

17 _____

18 _____

_____

19 _____

_____

20 _____

_____

## Von Prüferin/Prüfer auszufüllen!

**Schreiben**

| Die Aufgabe ist | voll erfüllt | gut erfüllt | teil-weise erfüllt | ansatz-weise erfüllt | nicht erfüllt |
|---|---|---|---|---|---|
| Kommunikative Gestaltung/Inhalt und Umfang | 4 | 3 | 2 | 1 | 0 |
| Formale Richtigkeit | 4 | 3 | 2 | 1 | 0 |

x 2 Punkte: _____

Ergebnis
Schriftliche Prüfung

## Quellen

S. 6 shutterstock.com; S. 8 Andrea Arnold – Fotolia.com; S. 9 Yo Rühmer; S. 10 oben: shutterstock.com, unten: AndiPu – Fotolia.com; S. 16 Boudikka – Fotolia.com; S. 19 1 digieye – shutterstock.com, 2 LianeM – Fotolia.com, 3 Natika – Fotolia.com, 4 rossler – Fotolia.com, 5 van der Stehen – shutterstock.com, 6 Han van Vonno – Fotolia.com, 7 Bernd Jürgens – shutterstock.com, 8 blende40 – Fotolia.com; S. 23 Meyer-Hentschel – Fotolia.com; S. 24 Fotolia.com; S. 26 Meliksetyan – Fotolia.com; S. 27 shootingankauf – Fotolia.com; S. 28 fotobeam.de – Fotolia.com; S. 36 virtua73 – Fotolia.com; S. 37 Junge: Andrey Kiselev – Fotolia.com, Mädchen: oldline2 – Fotolia.com; S. 38 shootingankauf – Fotolia.com

## CD zum Testheft

Sprecher: Vincent Buccarello, Elke Burger, Mario Geiß, Jenny Perryman, Talia Perryman, Theo Scherling, Caro Seibold, Jenny Stölken, Peter Veit
Regie: Theo Scherling, Annerose Bergmann
Postproduktion: Andreas Scherling
Studio: Plan 1, München